Índice/Table of Contents

Teacher's Manual

Everyday Situations in Spanish

Amparo Estrada de Völk

National Textbook Company
a division of NTC/CONTEMPORARY PUBLISHING COMPANY
NTC Lincolnwood, Illinois USA

Published by National Textbook Company,
a division of NTC/Contemporary Publishing Company,
4255 West Touhy Avenue,
Lincolnwood (Chicago), Illinois 60646-1975 U.S.A.

Manufactured in the United States of America.

04 VRS/VRS 1

Introduction

Everyday Situations in Spanish is an imaginative set of 16 transparencies that aim at recreating typical experiences of daily life in a Spanish-speaking country. Situations depicted include the airport, the service station, the open-air market, the beach, and other places where crowds of people gather. The transparencies are designed to introduce or reinforce vocabulary and speech patterns associated with such contexts, as well as to stimulate conversations in well-defined real-life situations.

Teachers should select the activities suggested for each of these transparencies in the order that best suits the books and materials they are using. Activities may also be adapted to fit the needs and concerns of Spanish-language students at various levels of study—from beginning to advanced.

This Teacher's Manual does not aim at presenting a ready-made course model. Instead, it offers a wide variety of teaching materials that teachers can select to fit the level and time requirements of their classes. Suggested materials are grouped under specific headings for each transparency unit in this manual.

Under *Introducción,* teachers will find outlined two possible approaches to introducing a transparency situation in class. These usually involve asking students to imagine themselves in two different contexts related to the topic of the transparency and to discuss their actions and reactions within that context.

The section entitled *Información cultural* stresses unique features of life in Spanish-speaking countries. Teachers can use the information contained in these brief paragraphs to clarify certain features of a scene or as a springboard for their own remarks on the culture of Spanish-speaking countries.

The *Vocabulario* section features a broad selection of words frequently used in the situation depicted in a transparency. These terms may be introduced in their entirety before a transparency is shown or gradually in the course of conversation activities. Words were chosen for their frequency of use throughout the Spanish-speaking world. Where more than one term is in common use, regional variants are given. The abbreviations used in this section are: *Am* América Latina, *AmC* América Central, *Arg* Argentina, *Col* Colombia, *Esp* España, *Méx* México, *PR* Puerto Rico, and *Ur* Uruguay.

Preguntas asks students for specific information about the content of the scene depicted (the actions, the physical setting, the possible thoughts of the characters, etc.). The questions are designed to encourage active use of the vocabulary and idioms featured in the *Vocabulario* section. From simple content queries at the beginning of the manual, questions gradually grow in complexity.

Finally, each unit in this Teacher's Manual ends with a series of *Actividades complementarias*. These include discussion questions, role plays, group activities, essays, and occasional exercises to reinforce grammar structures. The number and variety of *actividades* proposed make them adaptable to varying classroom situations and levels.

At the back of the book, the *Clave,* or Answer Key, gives possible answers to the *Preguntas* and the grammar exercises in the *Actividades complementarias*.

The *Everyday Situations in Spanish* transparencies represent a valuable source of cultural information and communicative practice in the Spanish-language classroom. This attractive visual tool will add variety *and* motivation to the usual activities of a Spanish class. In addition, the transparencies provide a fine preparation for students planning a trip to a Spanish-speaking country.

Transparencia 1: En el aeropuerto

I. INTRODUCCION

— Si usted ya ha viajado en avión, cuente la sensación que se experimenta la primera vez.

— ¿Le gustaría pilotar un avión? ¿Por qué (no)?

II. INFORMACION CULTURAL

Air transport is particularly suited to Spain, which compared to the United States is largely under-populated and free of dense international air patterns. Commercial aviation in Spain dates from 1919, but major developments in air travel came in 1940 with the creation of the country's Iberia Airlines. Boasting a good safety record and drawing on military pilots with many hours on their flight sheets, Iberia Airlines handles Spain's international flights, linking the main European capitals with New York and South America. Of Spain's many airports, that of Majorca, a famous tourist resort town, is the busiest with more flights than Spain's capital city, Madrid.

III. VOCABULARIO

aeropuerto, airport; *la terminal (aérea),* air terminal; *pista,* runway; *(el) hall,* entrance; *sala de espera,* waiting room; *vuelo,* flight

***al partir,* at take-off**
compañía aérea, airline; *el mostrador,* ticket counter; *empleado,* employee; *el pasaje*/Am *boleto,* plane ticket; *pasajero,* passenger; *lista de pasajeros/de espera,* passenger list/waiting list; *pasajeros en tránsito,* passengers in transit; *el equipaje,* luggage; Esp *la facturación*/Am *chequeo de equipaje,* luggage check-in; *mochila/el morral,* knapsack; *equipaje de mano,* hand luggage; *exceso de equipaje,* excess luggage; *pantalla*/Esp *el panel de vuelos,* flight screen; *tarjeta de embarque*/Méx *boleto de abordo*/Col *pasabordo,* boarding pass; *última llamada,* final call; *el avión,* plane; *avioneta,* light aircraft; *helicóptero,* helicopter; *el control de seguridad/de pasajeros*/Esp *cacheo,* security control/passenger control/frisking

volar/viajar/ir en avión, to travel by plane; Esp *facturar*/Am *chequear*/Méx *checar el equipaje,* to check the luggage; *estar en lista (de espera),* to be on the waiting list; *cancelar un vuelo,* to cancel a flight; *el avión lleva retraso/está retrasado,* the plane is delayed; *controlar a los pasajeros*/Esp *cachear,* to search/check the passengers

***en el avión*, on the plane**
cabina, cabin; *piloto,* pilot; *azafata*/Méx *aeromoza(o),* flight attendant; *asiento,* seat; *respaldo,* seat back; *el cinturón de seguridad,* seatbelt; *retraso,* delay; *avería/fallo de motores,* engine failure; *el despegue,* take-off; *turbulencias,* turbulence; *mareo,* nausea/airsickness; *el accidente aéreo,* plane accident; *caída de un avión,* plane crash; *secuestro aéreo,* hijacking; *el secuestrador,* hijacker; *el/la rehén,* hostage; *el aterrizaje,* landing

Esp *embarcarse,* to embark, go aboard; *abrocharse el cinturón,* to fasten the seatbelt; *dejar de fumar,* to stop smoking; *despegar,* to take off; *aterrizar,* to land

***al llegar*, upon arrival**
aduana, customs; *aduanero/funcionario/empleado de aduanas,* customs agent; *la revisión de equipajes,* luggage inspection; *la declaración de aduana,* customs declaration; *derechos de aduana,* customs duties; *contrabando,* smuggled goods; *el pasaporte,* passport; Esp *visado*/Am *visa,* visa; *válido/vencido,* valid/expired; *el lugar de expedición,* place in which visa is issued; *fecha de vencimiento,* expiration date; *el alquiler*/Méx *renta de coches,* car rental; *entrega de equipajes,* baggage claim

revisar el equipaje, to inspect the luggage; *declarar algo en la aduana,* to declare something in customs; *pagar derechos de aduana,* to pay customs duties; *decomisar artículos en la aduana,* to seize items in customs; *pagar una multa,* to pay a fine; *revisar el pasaporte,* to check the passport; *alquilar*/Méx *rentar un coche,* to rent a car

IV. PREGUNTAS

1. a) En esta lámina de un aeropuerto, ¿qué ve Ud. a la derecha, al fondo?
   b) ¿Y a la izquierda?
2. a) ¿Qué problema tiene el viajero que está en el mostrador de Iberia?
   b) ¿Cuántos kilos se pueden llevar generalmente?
3. a) ¿Qué detalles contiene un pasaje de avión?
   b) ¿Y si Ud. no tiene pasaje o no lo tiene confirmado?
4. a) ¿Qué está haciendo el aduanero que se ve a la derecha, en segundo plano?
   b) ¿Y el empleado de seguridad, a la derecha de éste?
5. a) El aduanero de la derecha, abajo, ha hecho al pasajero abrir su maleta. ¿Por qué?
   b) ¿Qué le pasa al que descubren tratando de pasar contrabando?
6. a) ¿Qué lleva en la mano el hombre que va al encuentro de la chica con la bolsa de «duty free» (tienda libre de impuestos)?

b) ¿Será ella su novia, su mujer, su hermana, una colega? Dé la razón en cada caso.

7. ¿Por qué va corriendo el hombre de la chaqueta a cuadros?
8. El hombre que está en el mostrador de «Hertz», ¿por qué prefiere alquilar un coche a utilizar los servicios públicos de transporte?
9. La mujer que agita el pañuelo, a la izquierda, ¿a quién despide?
10. ¿Cuáles son las funciones de una azafata?
11. a) ¿Qué medidas de seguridad hay que mantener al despegar y aterrizar?
    b) ¿Por qué es necesario respetar estas medidas?

V. ACTIVIDADES COMPLEMENTARIAS

1. Represente la escena

En el aeropuerto

— Su vuelo a Monterrey ha sido cancelado y todos los demás vuelos de hoy están completos/llenos. Vaya al mostrador de Mexicana y trate de obtener una confirmación para cualquier vuelo porque Ud. tiene urgencia de llegar allí hoy.

— Ud. está esperando su maleta, pero ésta no llega. La cinta automática ya está vacía. Vaya al mostrador correspondiente a averiguar qué ha pasado.

2. Repita la información

Ud. está en el aeropuerto de la Ciudad de México esperando la salida de su avión para Mérida. Su compañero no ha entendido los mensajes siguientes. Explíqueselos usando el estilo indirecto.

a) Última llamada para los pasajeros del vuelo Mexicana Nº 511 con destino a Mérida. Se ruega a los pasajeros abordar el avión por la puerta de salida Nº 21.

b) Atención, por favor. Sr. X *(uno de los alumnos),* pasajero con destino a Mérida, vaya, por favor, a la oficina de información.

c) Atención, por favor. Mexicana lamenta tener que informar que su vuelo 511 con destino a Mérida, hora de salida 12.45, tendrá un retraso aproximado de tres horas. Se ruega a los pasajeros pasar al restaurante «Terraza» donde les será servido el almuerzo presentando sus boletos.

3. Definiciones y descripciones

Explique el significado de: controlador de vuelo, tarjeta de embarque/abordo, lista de espera, fecha de vencimiento, cacheo/control de seguridad.

4. Diálogos imaginarios

Mirando la lámina escriba el diálogo imaginario correspondiente a las situaciones Nº 1, 2, 3, etc. *(El profesor debe hacer una sobrefolia con los números correspondientes.)*

5. Consejos

Su amigo/a siente terror de volar. Déle algunos consejos.

Por ejemplo: tienes que relajarte/ponerte ropa cómoda/tomar un whisky al subir/llevar un buen libro . . .
no debes ser pesimista/obsesionarte pensando que se va a caer el avión . . .

6. Repaso

Usar **tener que, estar** o **hay (que):**

— Mi pasaporte y el dinero ________ en tu bolso.
— ¿Qué ________ en ese bolso, por favor?
— En la aduana ________ declarar todo lo que uno lleva.
— Lo siento, pero Ud. ________ sentarse en la zona de fumadores.
— En la zona de no fumadores ya no ________ sitio.
— ¿Dónde ________ los servicios del avión?
— ________ unos en el centro y otros en la parte de atrás del avión.
— Señorita, por favor, ¿qué ________ de comida?
— ________ unas chuletas de vaca que ________ muy ricas.
— ¡Las azafatas ________ trabajar mucho!

7. Discusión

Azafata o piloto, ¿la profesión ideal?
Muchas personas sueñan o han soñado con ser aeromozas (aeromozos) o pilotos.
¿Qué ventajas y desventajas tienen estas profesiones?

Algunas ventajas: se visitan muchos lugares, se conoce a muchas personas, se duerme en buenos hoteles . . .

Algunos inconvenientes: separación frecuente de familiares y amigos, viajeros impertinentes, soledad frecuente . . .

Transparencia 2: En la estación de ferrocarril

I. INTRODUCCION

— Cuando usted viaja en tren, ¿le gusta conversar a veces con otros pasajeros?
— ¿Suele llevar algo para el viaje, o prefiere ir al coche-restaurante?

II. INFORMACION CULTURAL

Certainly the most enjoyable way to view the countryside of Spain is by train. Travel times are longer, of course, than air travel but the many improvements in the system over the years have brought it up almost to the comfort level of air travel. The Spanish national railway company is *RENFE (Red Nacional de los Ferrocarriles Españoles)*. After the Civil War, rail travel suffered from lack of funds and the natural Spanish terrain, with only 22% of Spain's track absolutely horizontal and 66% without curves; travel was a cautious venture. In the late 1950s, the Talgo (or Knucklebone) train was brought into service. It has proved to be one of the world's most interesting innovations. With its low-slung carriage and original suspension system, it moves along at high speed and gives the sensation inside of a luxurious aircraft, thus uniting the comfort of the airplane with the sight-seeing beauty of train travel.

III. VOCABULARIO

***las instalaciones,* set-up**
Esp *taquilla*/Am *ventanilla de información,* information and ticket window; Esp *el panel*/Am *tablero de trenes,* train schedule; *consigna de equipajes/ automática*/Méx *el locker,* locker; *oficina de objetos perdidos,* lost and found office; *sala de espera,* waiting room; *el andén,* platform; *vía,* train track; *el riel/raíl,* train rail; *el furgón,* boxcar; *carrito,* trolleycar; *paso/el pasaje subterráneo/el túnel,* tunnel

pedir información, to ask for information; *dejar el equipaje en la consigna,* to leave luggage in the check-room; Esp *sacar el billete*/Am *comprar el pasaje*/Méx *boleto (de primera/segunda clase),* to purchase a first or second class ticket; *¿hay descuentos para familias numerosas/jubilados?,* do you offer discounts for large families, retirees?; *¿hay billetes a precios reducidos para fines de semana/excursiones?,* do you offer reduced-price tickets for weekend travel, excursions?

***el viaje*, the trip**
el billete/Am *el pasaje*/Méx *boleto,* ticket; *(no) válido,* valid/not valid; *de ida y vuelta,* round-trip; *la conexión*/*transbordo*/Esp *el enlace,* connection; *reserva,* reservation; *suplemento de velocidad,* extra charge for faster trains; *horario de trenes,* train schedule

***el equipaje*, luggage**
maleta/Am *valija*/Méx *petaca,* suitcase; *bolso de viaje,* travel bag; *mochila*/*el morral*/Méx *beliz (veliz): mochila grande,* knapsack: duffel bag; *saco de dormir,* sleeping bag; *colchoneta,* small mattress; *bulto,* satchel

***el tren*, the train**
locomotora, locomotive; *el vagón*/*el coche,* the train car; *compartimiento para (no) fumadores,* smoking/no smoking compartment; *vagón-restaurante,* dining car; *el coche-cama (pl: los coches-cama),* sleeper car (sleeper cars); *el coche-literas (pl: los coches-literas),* berth (berths); *ventanilla,* window; *pasillo,* corridor; *portezuela,* door; *escalerilla,* steps

esperar/*coger (*palabra tabú en Méx, Arg, Ur; allí: *tomar) el tren,* to catch the train (tabú in Méx, Arg, and Ur. There they say: tomar = to take); *alcanzar*/*perder el tren,* to catch/to miss the train; *el tren lleva retraso*/*está retrasado,* the train is delayed; *transbordar*/*conectar*/*enlazar*/*cambiar de tren,* to transfer trains; *arrancar*/*salir,* to depart; *parar*/*detenerse,* to stop; *subir(se) al*/*bajar(se) del tren,* to get on/get off the train

***tipos de trenes*, types of trains**
ordinario, daily train; *rápido,* rapid train; *expreso,* express train; Esp *talgo,* Spanish trademark Talgo train; *correo,* postal train; *de carga*/*mercancías,* cargo/merchandise train; *mixto,* passenger and goods train; Esp *ómnibus*/Am *autoferro,* slow or stopping train; *el container,* tank train; *el contenedor,* tanker train

***el personal*, personnel**
empleado ferroviario/Méx *ferrocarrilero,* railway employee; *el maquinista,* engineer; *el revisor*/*el controlador,* conductor; *maletero*/Méx *mozo de estación*/Arg *el changador,* porter

IV. PREGUNTAS

1. a) ¿Qué situación representa la lámina?
   b) ¿Es la estación de una ciudad grande o pequeña?
   c) ¿Es una hora tranquila o de mucho movimiento?
2. a) ¿Por qué parece estar nervioso el hombre de la chaqueta azul que mira el reloj?
   b) ¿Qué pensará?

3. Y el chico de barba con el bolso de viaje amarillo, ¿alcanza el suyo?
4. a) ¿Qué está haciendo la señora que se ve en el andén?
   b) ¿Por qué lleva al chico de la mano?
5. a) Diga qué hace el hombre que se ve a la izquierda, de espaldas.
   b) ¿Por qué lo hará?
6. a) ¿Qué está haciendo la mujer rubia al frente, a la izquierda?
   b) ¿Por qué lleva al chico sentado encima de las maletas?
7. Describa la escena de la derecha, al frente, entre la señora mayor y el maletero.
8. ¿Qué indican las flechas que hay en el centro, delante?
9. ¿Qué estará preguntando el chico en la taquilla de información?

V. ACTIVIDADES COMPLEMENTARIAS

1. Represente la escena

a) Ud. quiere viajar un día de mucho movimiento y desea reservar
   un sitio en el tren
   una litera
   una cama

b) El asiento que Ud. ha reservado está ocupado por alguien que afirma que es el suyo. Insista en su derecho.

c) Ud. entra en un compartimiento del tren y ve un asiento desocupado; entable una conversación con una persona que está allí sentada.

   Posibilidades:
   Usted le pregunta si puede sentarse allí;
   le ofrece un cigarrillo;
   le pregunta adónde va;
   dónde trabaja;
   por qué va a . . . ;
   cómo se llama;
   . . .

2. Definiciones y descripciones

a) Explique la diferencia entre un tren ordinario, uno rápido y uno expreso.

b) ¿A qué tipo de tren cree Ud. que se llama en Colombia «tren lechero»?

c) ¿Qué es un Eurailpass?

d) Explique cómo funciona una consigna automática.

3. Llamada telefónica

El chico de barba que llega corriendo pierde el tren. Llama por teléfono a su amigo que lo está esperando; le cuenta lo sucedido y se hace a sí mismo algunos reproches por no haber calculado bien su tiempo.

Por ejemplo: Me desperté tarde porque no sonó el despertador; si hubiera sonado . . . No tenía dinero y tuve que ir al banco; si hubiera ido ayer al banco . . .

4. Trabajo escrito

Ud. ha olvidado su paraguas en el tren y desea recuperarlo. Escriba una carta a la oficina de objetos perdidos de la estación con los datos exactos:

— Día y hora del viaje

— Ruta seguida

— Descripción del paraguas

— Motivos por los que quiere encontrarlo

— Su nombre y dirección

5. Repaso

Son las diez: Martín encuentra a Pepe cerca de la estación de Madrid-Atocha, con un bolso de viaje en la mano, y le pregunta:

(Usar **ir, venir, salir, volver**)

M: ¿Adónde ________ (tú)?

P: (Yo) ________ a Toledo.

M: Yo también tengo que ________ hoy a Toledo y ________ en coche. ¿Por qué no esperas y te ________ conmigo?

P: ¿A qué hora piensas ________?

M: No sé. Creo que (yo) ________ hacia las doce. ¿Te ________ bien?

P: No estoy seguro porque quiero ________ y ________ hoy mismo.

M: Es que podemos ________ también juntos.

P: Bueno. De acuerdo. Entonces (yo) no ________ en tren sino que mejor ________ contigo en coche.

6. Discusión por parejas

Ud. y su amigo quieren ir tres semanas de vacaciones a España y aún no están de acuerdo si hacer el viaje en coche o en tren, aprovechando las ventajas del Eurailpass. Hagan un plan muy detallado, discutiendo los pros y contras de ambos medios de locomoción.

Ventajas del tren: mayor comodidad, viaje descansado, ausencia de embotellamientos, mayor seguridad, menos accidentes, posibilidades de leer, escribir, conocer a otras personas, etc.
Ventajas del coche: independencia de horarios, posibilidad de llegar exactamente a su destino y de detenerse cuantas veces se quiera y donde se quiera, o de cambiar espontáneamente el plan de viaje, más económico cuando van varias personas juntas, más cómodo en cuanto al equipaje, etc.

Transparencia 3: En la calle Primera parte: La ciudad

I. INTRODUCCION

— ¿Qué edificios y tiendas hay en la calle principal de la ciudad donde usted vive?

— ¿Es una zona de peatones o está abierta al tráfico de coches y bicicletas?

II. INFORMACION CULTURAL

In Latin American countries, the *plaza,* or town square, plays an important role in the lives of city dwellers. Traditionally, the *plaza* was the site of weekly open-air markets and the center of a city or village's social life. Towns grew up around their *plazas,* and the main square was often called *la plaza mayor.* In the present day, habits have changed and the *plaza* has lost some of the importance it once had in the larger cities, but it is still a popular place for an evening stroll (*un paseo*) and is often full of neighbors greeting each other and chatting until well after dark.

III. VOCABULARIO

***la ciudad,* the city**

plaza, plaza; *plazuela,* small town square; *glorieta,* traffic circle; *arcada,* arcade; *avenida,* avenue; *la calle,* street; *el callejón (sin salida),* alley (blind alley); *callejuela,* back alley; *acera*/Méx *banqueta,* sidewalk; *esquina,* corner; *el cruce,* intersection; *el puente,* bridge; *el túnel,* tunnel; Esp *manzana,* block; Am *cuadra (un lado de la manzana),* block (one side of the block); *barrio*/Méx *colonia,* neighborhood; *cabina telefónica,* phone booth; *papelera,* wastepaper basket; *la catedral,* cathedral; *iglesia,* church; *ayuntamiento,* town hall; *el alcalde,* mayor; *la alcaldesa,* mayoress; *el vendedor de periódicos*/Méx *periodiquero*/Arg *el canillita,* newspaper boy; *el vendedor ambulante,* street vendor; *el limpiabotas*/Am *el lustrabotas,* shoeshine boy

ir de paseo/*pasear*/*caminar por la ciudad,* to take a walk; *visitar los sitios de interés,* to sightsee; *preguntar por el camino,* to ask for directions; *¿Cuál es el camino más corto para . . . ?,* what's the shortest way to get to . . . ?; *¿A cuántas cuadras*/*manzanas está?,* how many blocks away is it?; *¿Dónde hay un banco*/*una panadería, etc.?,* where is a bank/bakery, etc.?; *seguir todo derecho,* to continue going straight; *doblar a la derecha*/*izquierda,* to turn right/left

***los negocios,* stores**
los grandes almacenes, big department stores; *tienda,* store; *supermercado,* supermarket; *carnicería,* butcher's shop; *panadería,* bakery; *pastelería,* pastry shop; *lechería,* dairy; *tintorería/lavandería,* dry cleaners; *zapatería,* shoe store; *kiosco/quiosco de prensa,* newsstand; *cafetería,* coffee shop; *el restaurante,* restaurant; *el bar/el café,* bar/coffee shop; Esp *el escaparate*/Am *vitrina,* showcase window

ir de compras, to go shopping; *hacer compras,* to shop; *mirar los escaparates/las vitrinas,* to window shop; *pagar en efectivo/con cheque (de viaje)/con tarjeta de crédito,* to pay in cash/with a (traveler's) check/with a credit card

***el tráfico,* traffic**
el transeúnte, passer-by; *el peatón,* pedestrian; *zona peatonal/de peatones,* pedestrian zone; *paso*/Méx *el cruce de peatones,* pedestrian crossing; *semáforo,* traffic light; *la luz roja/verde/amarilla,* red light/green light/yellow light; Esp *aparcamiento/el párking*/Am *estacionamiento*/Col *parqueadero,* parking; *parquímetro*/Am *estacionómetro,* parking meter; *el coche*/AmC, Col, Méx, PR *carro,* car; *el autobús*/Am *el bus*/Méx *el camión*/Arg *colectivo,* bus; *parada,* stop; *el billete*/Am *el pasaje*/Méx *boleto,* ticket; *el conductor,* driver; Esp *el chófer*/Am *el chofer,* chauffeur; *el (la) guardia (de tráfico),* (traffic) policeman (policewoman); *vía,* road; *sentido único/la dirección única,* one-way; *un carril/varios carriles,* one lane, multiple lanes; *la infracción de tráfico,* traffic offense; *multa,* fine

cruzar la calle, to cross the street; *estar permitido/prohibido aparcar/estacionar,* to be allowed/prohibited to park; *violar una ley/cometer una infracción de tráfico,* to violate a law/to commit a traffic offense; *multar,* to fine; *poner una multa,* to set a fine; *protestar por una multa,* to protest a fine; *coger (*en Méx, Arg y Ur palabra tabú; allí: *tomar) el autobús,* to catch the bus; *subir(se) al/bajar(se) del autobús,* to get on, to board/to get off the bus; *conducir*/Am *manejar un coche/autobús,* to drive a car/bus; Esp *regular la circulación*/Am *dirigir el tráfico,* to direct traffic

IV. PREGUNTAS

1. a) ¿Qué ve Ud. en la lámina?
   b) ¿Por qué es una plaza latinoamericana y no española?
   c) ¿Por qué se llama «Plaza de Armas»?
   d) ¿Sabe Ud. cuál es el equivalente español?
2. La calle que se ve aquí, ¿es una zona peatonal?
3. ¿Qué están haciendo los guardias?

4. a) ¿Dónde hay una parada de autobús en la lámina?
   b) Ud. no sabe qué autobús tomar para la estación. ¿Qué le pregunta al conductor?
   c) ¿Y qué pregunta para saber dónde bajarse?
5. ¿Qué está haciendo el hombre de la maleta, a la izquierda?
6. a) Mire a los dos hombres que están sentados en el banco de la plaza. ¿Son de la ciudad?
   b) Hay un hombre limpiándole los zapatos al turista de la cámara. ¿Por qué trabaja este hombre de limpiabotas?
7. a) ¿Con quién estará hablando el chico de la cabina telefónica?
   b) El hombre que espera delante del teléfono parece estar indignado. ¿Por qué?
8. a) ¿Dónde se puede estacionar en la plaza?
   b) Describa la escena entre la señora y el guardia.
9. ¿Qué pregunta la mujer de pelo castaño, a la derecha?
10. ¿Sabe por dónde se va a la estación?
11. a) A la izquierda de la catedral hay una estatua de Pizarro. ¿Sabe Ud. su nombre de pila?
    b) ¿Qué puede contar de su vida?

V. ACTIVIDADES COMPLEMENTARIAS

1. Represente la escena

a) Orientación

— Con ayuda de una transparencia o fotocopias de un mapa del centro de la ciudad en la que Ud. vive, pídale a un/a compañero/a que le indique dónde hay un banco, una farmacia, dónde está el correo, la estación, una tienda determinada, algún sitio de interés turístico, y cómo llegar allí.

b) Protesta

— Entre el señor que espera junto a la cabina telefónica y el chico que está hablando por teléfono.

— Entre la señora que cree haber sido multada injustamente y el policía.

2. Enunciación de «eslogans»

«Mantengamos la ciudad limpia»

En su ciudad se ha organizado una campaña para mantenerla limpia. Ud. está encargado de escribir los letreros para esta campaña.

Formar parejas que redacten los eslogans correspondientes, usando el imperativo negativo. Después de haber leído los eslogans ante el pleno, y si el nivel del grupo lo permite, realizar un pequeño debate sobre conciencia ecológica, por ejemplo, bajo el título: «¿Qué opina Ud. de la gente que tira papeles al suelo?»

3. Definiciones y descripciones

a) Explique el significado de: Plaza Mayor, Plaza de Armas, Calle Mayor, avenida, zona de peatones/peatonal, músico callejero, vendedor ambulante.

b) Describa por escrito:

— la calle donde Ud. vive

— una calle concurrida del centro de la ciudad donde Ud. vive

4. Juego

«Adivinar la calle»

Dividir la clase en grupos de tres o cuatro alumnos. Cada grupo elige una calle o plaza conocida de la ciudad y prepara una descripción para el pleno, pero sin decir de qué calle se trata. Los demás grupos tratan de adivinar el nombre.

5. Repaso

algo, nada — alguien, nadie

Pedro y María se encuentran por la calle.

P: ¡Hola! ¿Qué hay?

M: Ah, ________ especial.

P: ¿Has sabido ________ de Antonio?

M: No, no he sabido ________.

P: ¿No te ha escrito aún?

M: No, a mí no me escribe ________.

P: ¿Tienes ________ que hacer ahora?

M: Tengo que encontrarme luego con ________, pero de momento no tengo ________ que hacer.

P: Entonces, ¿por qué no vamos a tomar ________?

M: ¡Excelente idea! Hoy todavía no he comido ________.

6. Conversación

En muchas ciudades existen, en las afueras, centros comerciales, en España, por ejemplo, los hipermercados, que ofrecen a sus clientes comodidades indiscutibles.

¿Prefiere Ud. hacer compras allí, o ir a las tiendas del centro de la ciudad o del barrio donde Ud. vive?

7. Discusión

Los músicos callejeros constituyen hoy una imagen habitual en las calles y plazas de muchas ciudades. No obstante, no todos consideran su música agradable. Comerciantes, residentes y transeúntes tienen con frecuencia una opinión negativa de ellos.

¿Qué argumentos pueden aducirse en pro y en contra de la música callejera?

Segunda parte: Banca y economía

I. VOCABULARIO

banco, bank; *caja de ahorros,* savings bank; *cajero automático,* automatic teller; *cuenta bancaria/corriente/de ahorros,* bank account/checking account/ savings account; *horarios de apertura,* opening hours; *empleado bancario,* bank employee; *cajero(a),* teller; *caja,* cashbox; *el cheque de viaje*/Am *viajero,* traveler's check; *dinero*/Am *plata,* money; *el billete,* bill; *moneda (extranjera),* (foreign) currency; *talonario de cheques,* checkbook; *chequera,* checkbook; *cambio del día,* daily exchange rate; *ventanilla de cambio,* exchange window; *agencia de cambio,* exchange agency; *el carnet de identidad,* identification card; *crédito,* credit; *el aval,* guarantor's signature; *bolsa,* stock exchange; *las inversiones,* investments; *las acciones,* shares, stock; *empleo,* employment; *desempleo/paro,* unemployment; *desempleado/ parado,* unemployed

tener dinero en cheque o en efectivo, to have a check or cash; *firmar un cheque,* to sign a check; *pagar con tarjeta de crédito,* to pay with a credit card; *cambiar un cheque en dólares,* to cash a check; *abrir una cuenta,* to open an account; *solicitar/obtener un crédito,* to ask for/obtain credit; *pagar los intereses,* to pay interest; Am *estar desempleado*/Esp *parado,* to be unemployed; *estar buscando empleo,* to be looking for employment

II. RELACIONE

1. Perú	A. lira
2. Suecia	B. peso mexicano
3. Alemania	C. libra esterlina
4. Argentina	D. franco
5. México	E. peseta
6. Inglaterra	F. corona
7. Ecuador	G. inti (sol)
8. Italia	H. bolívar
9. Francia	I. sucre
10. Colombia	J. marco
11. España	K. austral
12. Venezuela	L. peso colombiano

III. REPRESENTE LA ESCENA

1. Cambiar dinero
   Ud. está en uno de los siguientes países: España, Colombia, México, Venezuela o Ecuador y necesita cambiar dinero en efectivo. Mire la tabla de cambio y elija la moneda en la que quiere hacer la transacción.

US$	Peseta	Peso colombiano	Bolívar	Peso mexicano	Sucre
1	109,15	451,98	42,55	2.756	712,80
10	1.091,50	4.519,80	425,50	27.560	7.128
20	2.183	9.039,60	851	55.120	14.256
50	5.457,50	22.599	2.127,50	137.800	35.640
100	10.915	45.198	4.255	275.600	71.280

2. Abrir una cuenta corriente
   Ud. desea abrir una cuenta corriente. Infórmese sobre las condiciones y ventajas que ofrece el banco de su elección.

3. Recoger un giro
   Ud. está esperando un giro. Averigüe si ya llegó.

IV. CURRICULUM VITAE

1. Comentar por parejas el siguiente «curriculum», utilizando los tiempos del pasado:

Datos personales

Nombre:	Adriana Lodoño Conde
Fecha de nacimiento:	17 de mayo de 1957
Lugar de nacimiento:	Zaragoza
Nacionalidad:	Española
Estado civil:	Soltera
Domicilio:	Avenida de la República 47a
Ciudad:	28020 Madrid
Teléfono:	534073

Estudios

Básicos	1963–1971	E.G.B.[1]: Escuela Eugenio López
Medios	1971–1974	B.U.P.[2]: Instituto Goya
	1974–1975	C.O.U.[3]: Instituto Goya
Superiores	1976–1981	Ciencias Económicas Universidad Complutense de Madrid

Experiencia profesional

1981–1985	Coopers & Lybrand Departamento de Contabilidad
1985–1988	Corporación Financiera Alba, S.A. Departamento de Crédito

2. ¿Qué tipo de empleo podría cumplir Adriana Lodoño?
   Dé razones.
3. Escriba su propio curriculum vitae.

V. CONVERSACION

Tema: El mundo del trabajo

1. ¿Cómo es la situación laboral en su país? ¿Ha cambiado en los últimos años?
2. ¿Qué requisitos se exigen para trabajar en un banco/una financiera/una compañía de seguros/en la industria?
3. ¿Sabe Ud. el porcentaje de profesionales desempleados en su país?

[1] E.G.B.: Educación General Básica
[2] B.U.P.: Bachillerato Unificado Polivalente
[3] C.O.U.: Curso de Orientación Universitaria

Transparencia 4: Un accidente de circulación

I. INTRODUCCION

— ¿Ha tenido usted ya un accidente?

— ¿Sabe usted cuál es aproximadamente la cantidad de accidentes que ocurren cada año en su país y cuál es la causa más frecuente?

II. INFORMACION CULTURAL

As in the United States, traffic has become a problem in the cities of Latin America and Spain in recent years. In Mexico City, the rise in the number of automobiles has not only created congestion, but also contributes to a serious smog problem. For this reason, many cities in the Hispanic world have excellent public transportation networks. Madrid boasts a cheap and efficient bus system and an extensive subway. Mexico City also has a large public transportation system, including inexpensive and frequent buses and a subway system opened in 1969. Outside the cities, Latin America is linked by the Pan American Highway, a modern, well-maintained network of highways stretching from the United States border to southern Chile that links the United States and seventeen Latin American countries.

III. VOCABULARIO

***el tráfico,* traffic**

la calle, street; *la bocacalle,* intersection; *el cruce,* crossroads, intersection; *rotonda,* rotunda; *calzada,* road; *acera*/Méx *banqueta,* sidewalk; *paso/el cruce de peatones/peatonal,* pedestrian crosswalk; *la señal de tráfico,* traffic signal; *semáforo,* traffic light; *la luz roja/amarilla/verde,* red light/yellow light/green light; *el peatón,* pedestrian; *el transeúnte,* passer-by; *preferencia (de paso),* right of way; *sentido único/la dirección única,* one-way; *el coche*/AmC, Col, Méx, PR *carro,* car; *el conductor,* driver; *la moto(cicleta),* motorcycle; *el ciclomotor,* moped; *casco,* helmet; *permiso de conducir*/Am *manejar*/Col *el pase*/Méx *licencia de conducir,* driver's license; *matrícula del coche*/Am *número de la placa,* license plate number; *la velocidad permitida,* speed limit; *el límite de velocidad,* speed limit; *exceso de velocidad,* speeding; *la desviación (del tráfico),* detour

observar las señales de tráfico, to observe the traffic signals; *parar cuando hay luz roja/cuando el semáforo está en rojo,* to stop at a red light; *tener preferencia,* to have the right of way; *pasar con la luz verde/en verde,* to go through a green light; *saltarse un semáforo,* to jump a light; *adelantar a*/Am *pasar a*/Méx *rebasar a un coche,* to pass a car; *detener/desviar el tráfico,* to stop/detour traffic

***el accidente,* the accident**
el choque, crash; *averías/daños del coche,* car breakdown/damage; *el/la causante,* the person who caused an accident; *el/la víctima,* victim; *el/la/los/las guardia(s) de tráfico*/Esp *el/la/los/las municipal(es),* traffic policemen (policewomen); *el coche patrulla,* patrol car; *el/la testigo,* witness; *jefatura/comandancia de policía,* police headquarters; *interrogatorio,* interrogation; *la declaración,* testimony, evidence

violar las reglas de tráfico, to violate traffic laws; *causar/ocasionar un accidente,* to cause an accident; *ser el causante de/tener la culpa en/de un accidente,* to be the cause of an accident; *chocar con alguien,* to crash into someone; *atropellar a alguien,* to run over someone; *hacer/servir de testigo,* to serve as a witness; *interrogar a los testigos,* to interrogate the witnesses; *declarar ante un juez,* to testify before a judge

***el seguro,* insurance**
seguro de automóviles, auto insurance; *obligatorio/voluntario/facultativo,* compulsory/voluntary/non-compulsory; *seguro a todo riesgo/contra riesgos parciales/daños a terceros,* fully comprehensive insurance/partial comprehensive insurance/third-party damage insurance; *cobertura del seguro,* insurance coverage; *compañía/agencia de seguros,* insurance company/insurance agency; *el/la agente de seguros,* insurance agent; *el asegurador,* underwriter; *asegurado,* insured; *tarjeta de seguro,* insurance card; *el límite de responsabilidad del asegurador,* underwriter's responsibility limit; *prima,* premium; *póliza,* policy; *averías/daños,* breakdowns/damages; *seguro médico,* medical insurance; *los Seguros Sociales/la Seguridad Social,* Social Security; *beneficiario,* beneficiary; *la incapacidad temporal/permanente,* temporary/permanent disability; *cartilla de la Seguridad Social,* Social Security card

asegurar, to insure; *cubrir un riesgo,* to cover a risk; *daño concreto,* specific damage; *el seguro cubre los objetos siguientes,* the insurance covers the following objects

***asistencia médica,* medical assistance**
herido/a, injured; *médico/a,* doctor; *enfermero/a,* nurse; *herida,* injury; *fractura,* fracture; *el vendaje/venda,* bandage; *el torniquete,* tourniquet; *primeros auxilios,* first aid; *ambulancia,* ambulance; *camilla,* stretcher; *asistencia médica,* medical assistance; *honorarios del médico,* doctor's fees

lastimarse, to hurt oneself; *herirse,* to injure oneself; *hacerse daño,* to harm oneself; *fracturarse algo,* to break something; *poner una venda,* to bandage; *tener dolor de/dolerle a uno algo,* to hurt; *quedar herido/ileso,* to be injured/

uninjured; *estar sereno/tranquilo/asustado/excitado,* to be calm/tranquil/frightened/excited; *prestar los primeros auxilios,* to offer first aid; *dar asistencia médica,* to give medical assistance

***la farmacia,* pharmacy**
botica, pharmacy; *farmacéutico/farmacéutica/boticario/boticaria,* pharmacist; *receta,* prescription; *la prescripción médica,* medical prescription; *medicina/medicamento/remedio,* medicine; *pastilla,* tablet; *píldora,* pill; *cápsula,* capsule; *gragea,* sugar-coated pill; *el jarabe,* cough syrup; *pomada,* ointment; *la inyección,* injection

vender una medicina sólo con receta médica, to sell medicine only with a prescription; *tomar una medicina,* to take medication; *ponerse una pomada/una inyección,* to apply ointment/to give oneself an injection

IV. PREGUNTAS

1. ¿Qué tipo de accidente ha tenido lugar aquí?
2. ¿Por qué ha venido la ambulancia?
3. Describa el estado del conductor de la moto.
4. ¿Qué hace el médico?
5. ¿Qué hace el enfermero que está junto a la ambulancia?
6. Hay un guardia interrogando a la conductora del coche. ¿Qué le pregunta?
7. La avenida Jiménez de Quesada es una de las calles principales de Bogotá. ¿Sabe Ud. por qué lleva ese nombre?

V. ACTIVIDADES COMPLEMENTARIAS

1. Represente la escena entre

a) la conductora del coche, que se cree inocente, y el guardia
b) el chico de la derecha y el guardia

2. Trabajo escrito

Redacte un informe de este u otro accidente tal como se hace para la prensa o la radio.

3. Repaso

Un testigo del accidente hace las siguientes declaraciones. Otro testigo no cree que él tenga razón:

Ejemplo: Yo vi el accidente desde la esquina. —No creo que haya visto/ viera . . .

— Yo vi el accidente desde la esquina.
— El chico de la moto iba demasiado rápido.
— El coche traía una velocidad enorme.
— El chico paró en la bocacalle/el cruce.
— El coche no frenó.
— La conductora tuvo la culpa.

4. Conversación

a) ¿Cuáles son las causas más frecuentes de los accidentes de tráfico?
b) ¿Cuándo hay que poner especial atención para evitar accidentes?
c) ¿Cómo actúa un conductor considerado?
d) Cuando Ud. se ha visto envuelto en un accidente, ¿qué debe hacer enseguida?
e) Mucha gente opina que los hombres son mejores conductores que las mujeres. ¿Qué piensa Ud. de esta opinión?

5. La salud

a) Para adelgazar

— no comer grasas
— suprimir las bebidas alcohólicas
— practicar algún deporte o hacer ejercicio
— no cenar
— comer fruta fresca y ensaladas
— decir adiós a los chocolates
— beber como mínimo dos litros de agua al día
— no pensar continuamente en la dieta
— acostarse pronto y dormir mucho
— pensar en una talla más pequeña

Déle un consejo a su compañero:

«Si quieres adelgazar, no comas grasas y . . .»

¿Tiene Ud. otra idea?
¿Qué más podemos hacer para bajar de peso?

b) En caso de enfermedad

Represente la escena

— **Por teléfono**
  Ud. se siente mal. Llame a la consulta del médico o dentista para pedir hora/una cita.

— **En la consulta del médico o dentista**
  Explíquele: cómo se siente, qué le duele, qué tiene, cuál cree Ud. que ha sido la causa del malestar.

¿Cómo se encuentra?	Estoy cansado/a
¿ . . . te sientes?	resfriado/a
	enfermo/a, malo/a
¿Qué tiene(s)?	Tengo fiebre
¿ . . . le/te pasa?	dolor de muelas
¿ . . . le/te duele?	Me duele la cabeza

c) En la farmacia

Pida al farmacéutico/a la farmacéutica las medicinas que le ha recetado el médico/dentista. En la farmacia no hay uno de los remedios que Ud. necesita . . .

Transparencia 5: En la cafetería

I. INTRODUCCION

— ¿Es usted cliente asiduo de alguna cafetería/algún bar?

— ¿Conoce usted un bar español/una cafetería latinoamericana? ¿En qué se diferencian de los locales análogos de su país?

II. INFORMACION CULTURAL

This transparency depicts a Spanish *cafetería* or *tapa* bar. In Spain, the *cafeterías* are popular meeting places throughout the day. In the evenings, Spaniards come here to unwind, have a drink, and nibble on *tapas,* small snacks that are served with drinks. *Tapas* can be a slice of Spanish *tortilla, jamón ahumado,* or even fried squid. The word *tapa,* meaning lid or top, refers to the plate of appetizing snacks formerly placed on top of the drinking glass to keep flies out. Often, a *tapa* bar will have one or two specialties and one can spend an evening going from one to another sampling various types of *tapas.*

III. VOCABULARIO

*cafetería/el bar/*Méx *la fuente de sodas (allí "bar" sólo para hombres),* café/bar/soda fountain (in Méx "bar" is for men only)

***el equipo del bar,* bar equipment**
el mostrador, counter; *el taburete,* stool; *mesa,* table; *silla,* chair; *lista de precios,* price list; *el mantel,* tablecloth; *servilleta,* napkin; *cubiertos,* place settings; *cuchillo,* knife; *el tenedor,* fork; *cuchara,* spoon; *botella,* bottle; *jarra,* pitcher; *vaso/copa,* glass; *plato,* plate; *taza,* cup; *azucarero/a,* sugar bowl; *salero,* salt shaker; *cenicero,* ashtray; *palillero,* toothpick holder; *palillo,* toothpick

***el personal y el servicio,* personnel and service**
el patrón, boss; *camarero/*Am *mesero/el barman,* waiter; *el/la cliente,* customer; *carta/el menú,* menu; *cuenta,* bill; *servicio (no) incluido,* service included, service not included; *propina,* tip

***las bebidas,* beverages**
bebida (no) alcohólica, alcoholic/nonalcoholic beverage; *refresco,* soft drink; *jugo/zumo de frutas,* fruit juice; *agua natural/mineral/con gas/sin gas,* natural/mineral/carbonated/noncarbonated water; *limonada,* lemonade; *la leche (malteada),* milk, malted milk; *horchata,* cold almond drink; *cerveza de*

botella/lata, bottled/canned beer; Esp *caña,* glass of beer; *cerveza de barril,* barrel beer; *vino tinto/rosado/blanco,* red/rosé/white wine; *vino de la casa,* house wine; *sangría,* red wine with oranges and lemons; *aperitivo,* cocktail, before-meal drink; *el jerez,* sherry; *el vermut,* vermouth; *el coñac,* brandy; *el café solo/cortado/con leche*/Col *tinto: café pequeño/perico: café pequeño con leche,* black coffee/with cream/with milk; *el chocolate caliente/frío,* hot cocoa, chocolate milk; *el té solo/con limón,* plain tea, tea with lemon

***las comidas,* meals**
desayuno, breakfast; *almuerzo,* lunch; *merienda,* snack; *cena,* dinner

rápidas, fast food: *bocadillo*/Am *sándwich de jamón/salchichón/queso,* sandwich/ham sandwich/sausage sandwich/cheese sandwich; Méx *tortilla (de maíz),* (corn) tortilla; *taco,* taco; *enchilada,* enchilada; *hamburguesa,* hamburger; *salchicha/perro caliente,* hot dog; *tapas*/Méx *botana de aceitunas/mejillones/almejas/atún/tortilla de patatas,* appetizers/olives/mussels/clams/tuna/Spanish omelet; *pastas,* pastries; *galletas,* cookies; *el pan,* bread; *panecillo,* roll; *mantequilla,* butter; *la sal,* salt; *pimienta,* pepper; *el aceite (de oliva),* (olive) oil; *el vinagre,* vinegar; *el azúcar,* sugar

el menú, menu: *el entremés*/Am *entrada,* appetizer; *sopa,* soup; *el consomé,* broth; *ensalada de marisco,* seafood salad

plato fuerte, main course: *pescado,* fish; *pollo,* chicken; *la carne de vaca/ternera/cerdo/cordero,* beef, veal, pork, lamb; *el arroz,* rice; *paella,* Spanish dish with rice and seafood; *patata*/Am *papa,* potato; *pastas,* pasta; *huevos,* eggs; *tortilla,* tortilla; *el postre,* dessert; *fruta,* fruit; *el flan,* caramel custard; *helado*/Méx *la nieve,* ice cream; *el pastel/bizcocho,* cake/sponge cake; *torta,* cake

***para fumadores,* for smokers**
cigarillos/Méx *cigarros negros/rubios,* cigarettes; *con/sin filtro,* filtered/nonfiltered; *colillas,* cigarette butts; *puros*/Méx *habanos,* cigars; *pipa,* pipe; *tabaco,* tobacco; *cerillas*/Am *fósforos*/Méx *cerillos,* matches

fumar un puro, to smoke a cigar; *fumar como una chimenea,* to chain smoke; *dejar de fumar,* to stop, quit smoking

***juegos y diversiones,* games and pastimes**
baraja/cartas, cards; *dominó,* dominoes; *el ajedrez,* chess; *damas,* checkers; *tragaperras/maquinillas*/Am *automáticos,* slot machines

jugar a las cartas/al dominó, to play cards/dominoes; *pedir/pagar la cuenta,* to ask for/to pay the bill; *dar propina,* to give a tip

comer, desayunar, to eat breakfast; *almorzar,* to eat lunch; *cenar,* to eat dinner; *pedir la carta/algo de comer,* to ask for the menu/for something to eat; *servir la comida,* to serve the meal; *la comida está deliciosa/muy picante/salada,* the meal is delicious/very spicy/salty; *el bistec está demasiado crudo/asado,* the steak is undercooked/overcooked; *el pan está duro/blando,* the bread is hard, stale/soft; *beber,* to drink; *pedir la bebida,* to ask for a beverage; *beber/tomar una copa,* to drink a glass of; *brindar por alguien/a la salud de alguien: "¡Salud, amor y pesetas!",* to toast someone/to toast someone's health: "Health, love and money!"; *"¡Salud, dinero y amor!",* "Health, money and love!"

IV. PREGUNTAS

1. a) ¿Dónde se desarrolla la escena?
   b) ¿Dónde cree Ud. que está esta cafetería?
2. Describa el sitio empleando adverbios y preposiciones de lugar: *a la derecha/a la izquierda, al frente/al fondo . . .*
3. ¿Podría decir algo sobre la clientela de este lugar?
4. ¿Qué actividades realiza la gente allí?
5. Describa al chico que está a la derecha.
6. A la izquierda, cerca del chico con camisa amarilla hay dos hombres. ¿Qué son y qué están haciendo?
7. a) ¿Qué hacen los dos hombres de la mesa del centro?
   b) ¿Son también estudiantes?
8. En la mesa de la derecha hay una mujer comiendo unos churros. ¿Está sola?
9. ¿Qué hay detrás de la barra?
10. ¿Qué puede decir de la actitud de la chica?
11. Junto al hombre que está leyendo «El País» hay una autoradio portátil. ¿Por qué está allí?
12. a) ¿Cuántos años tendrá el chico con la camisa amarilla?
    b) ¿Qué está haciendo?

V. ACTIVIDADES COMPLEMENTARIAS

1. Expresiones

¿Qué dice

a) el cliente para pedir la carta?

b) el camarero al cliente?

c) el cliente al camarero?

d) Ud., cuando el camarero se ha equivocado de pedido?

e) Ud., cuando quiere volver a pedir lo mismo?

f) Ud., a su acompañante, si quiere fumar?

g) Ud., si no tiene cerillas?

h) Ud., cuando quiere pagar?

i) Ud., cuando quiere pagar también por su acompañante?

2. Diálogo imaginario

Escriba un diálogo imaginario entre la chica y el señor que está leyendo «El País» *(hacer una conquista/ligar)*.

3. La cocina

Si a Ud. le gusta el pescado le encantará un plato muy popular en casi todos los países de América Latina:

Cebiche

Ingredientes

1 kilo de pez sierra en filetes
1 kilo de jitomates (tomates bien rojos)
1 cebolla grande, picada
2 chiles serranos, picados
1 cucharadita de orégano
2 cucharadas de aceite de oliva
4 limones

Se lavan los filetes y se cortan en trozos pequeños, se cubren con el jugo de los limones y una pizca de sal, y se dejan reposar durante cuatro horas en el frigorífico (también pueden prepararse la víspera). Se pica el jitomate, quitándole las semillas, y se mezcla con la cebolla, los chiles, el orégano y un poco de sal. Se añade esta mezcla y las dos cucharadas de aceite al pescado bien escurrido y se sirve en copas, acompañado de galletas saladas.

Transforme la receta, reemplazando los verbos por las formas correspondientes del imperativo.

Por ejemplo: Lave los filetes . . . , corte . . .

4. Repaso

Un letrero de un bar madrileño decía:

Aquí trabajamos
los más guapos,
los más listos,
los más grandes,
los más simpáticos,

los mejores,
en fin . . .
los más modestos . . .

a) Ana y Ernesto están almorzando. Completar el diálogo con las formas correspondientes del comparativo y el superlativo: *tan(to) como, más/menos (de lo) que, el/la (que) más, de.*

A: ¿Qué tal tu chuleta?

E: Está muy buena, está ________ (bueno) ________ la de ayer.

A: Pues mi pescado no está ________ (bueno) ________ el de ayer y es, sobre todo, ________ (pequeño) ________ de costumbre.

E: A mí no me parece ________ (pequeño). Lo que pasa es que tú eres la persona ________ (comilón) ________ conozco.

A: ¡Mira, quién lo dice! ¡Alguien que siempre come ________ debe!

E: Lo que pasa es que las mujeres no necesitan ________ comida ________ los hombres. Además, yo soy ________ trabaja.

A: Eso no es verdad. Creo que yo soy ________ (trabajador) ________ nosotros dos.

b) Buscar personajes de la vida pública del país, por ejemplo políticos y artistas, y compararlos en su aspecto exterior y en sus características personales.

Por ejemplo:
El Sr. P. es más gordo que el Sr. M.
La Sra. L. es más gorda que la Sra. G.
El Sr. G. es el más gordo de todos.
La Sra. R. es tan simpática como el Sr. B., pero menos simpática que la Srta. S. . . .

5. Conversación

Formar grupos de tres o cuatro alumnos y dar a cada grupo una revista de actualidad. Los alumnos buscarán los anuncios de publicidad relativos al tabaco y al alcohol y los compararán entre sí y con anuncios de otro tipo, fijándose en su frecuencia, su intención, etc.

Transparencia 6: En el hotel

I. INTRODUCCION

— ¿Prefiere usted los hoteles modernos, de tipo internacional, o le agrada más estar en uno de tradición y carácter locales?

— Si usted tiene que permanecer por algún tiempo en otra ciudad, ¿prefiere hospedarse en un hotel o en una residencia con media pensión/pensión completa?

II. INFORMACION CULTURAL

In Spain, hotels are rated by a system of stars (zero to five stars). A five-star hotel provides luxurious accommodations, while a one-star or two-star hotel will be clean and comfortable, but bathrooms may be shared. The best bargain for students are the youth hostels, where guests share bathrooms and often bedrooms, but the facilities are clean and convenient. *Paradores* are high-quality hotels run by the Spanish government that have been installed in historic castles or mansions. These offer both comfort and the charm of their historic settings.

III. VOCABULARIO

***el hotel*, the hotel**

Esp *el parador,* state hotel; Esp *el hostal,* inn; *la pensión,* boarding house; *el hotel de primera/segunda categoría, de tres/cuatro estrellas,* a first class/second class hotel, a three-/four-star hotel; *el albergue juvenil,* youth hostel; *vestíbulo/el lobby del hotel,* hotel lobby; *puerta de entrada/giratoria,* entrance/revolving door; *el ascensor*/Méx *el elevador,* elevator; *escaleras de emergencia,* emergency stairs; *la recepción,* reception desk; *el/la gerente del hotel,* hotel manager; *el/la recepcionista,* receptionist; Esp *el conserje*/Am *portero*/Méx *maletero,* hotel porter; *tablero/el tablón de anuncios,* bulletin board; *el/la turista,* tourist; *el huésped,* guest; *ficha,* registration form; *papeleta,* file card; *documento de identidad,* proof of identity; *el pasaporte,* passport; *el nombre (de pila),* first name; *apellido,* last name; *la nacionalidad,* nationality; *domicilio,* residence; *la dirección,* address; *el mostrador,* counter; *el sofá,* couch; *el sillón,* armchair; *lámpara,* lamp; *araña*/Méx *el candil,* chandelier; *el equipaje,* luggage; *maleta*/Méx *petaca,* suitcase; *mochila,* knapsack; *el bolso de viaje,* travel bag; *cámara fotográfica,* camera

***la habitación*, the room**
individual/Am *sencilla/doble/con media pensión/con pensión completa/con vista al mar/con ducha*/Méx *regadera,* single room/double room/partial board/full board/a room with a view of the ocean/a room with a shower; *cuarto de baño,* bathroom; *bañera,* bathtub; *teléfono,* telephone; *el balcón,* balcony; *la televisión,* television; *nevera,* refrigerator; *el refrigerador/frigorífico,* refrigerator; *cama sencilla/doble*/Méx *matrimonial,* single bed/double bed; *mesa/mesilla de noche,* bedside table; *armario (empotrado),* (built-in) wardrobe; *espejo,* mirror; *la luz,* light; *el colchón,* mattress; *almohada,* pillow; *sábana,* sheet; *funda,* pillowcase; *el edredón,* quilt; *colcha,* bedspread; *el sobrecama,* bedspread; *toalla,* towel

el hotel está completo/lleno, the hotel is full; *tener habitaciones libres,* to have a vacancy; *reservar una habitación,* to reserve a room; *preferir una habitación interior,* to prefer an inside room; *no querer una habitación que dé a la calle,* to not want a room that faces the street; *rellenar*/Am *llenar la papeleta/ficha,* to fill out the registration form; *coger (*palabra tabú en Méx, Arg y Ur, allí: *tomar) el ascensor*/Méx *elevador,* to catch the elevator; *subir/bajar por la escalera,* to go up/go down the stairs; *buscar/entregar/devolver la llave en la recepción,* to pick up at/to return the key to the reception desk; *esperar a alguien,* to wait for someone; *ponerse nervioso,* to become nervous; *estar impaciente/nervioso,* to be impatient/nervous; *pedir/pagar/cancelar la cuenta,* to ask for the bill/to pay the bill/to settle the bill; *pagar por adelantado/al dejar la habitación/el hotel,* to pay in advance/to pay the bill when you leave the room/the hotel

***el restaurante*, the restaurant**
vocabulario (cfr. situación "En la cafetería"), vocabulary (refer to "At the Café/Bar")

***la estética*, beauty**
peluquería/el salón/Méx *sala de belleza,* hairdresser's shop; *barbero,* barber; *peluquero,* hairdresser; *cabello/pelo,* hair; *barba,* beard; *el/los bigote/s,* the mustache; *patillas,* sideburns; *espejo,* mirror; *el peine,* comb; *cepillo,* brush; *tijeras,* scissors; *el secador,* hair dryer; *el corte de pelo,* haircut; *lavado/tintura,* wash/dye; *afeitado*/Méx *rasura,* shave

pedir/tener hora con el peluquero, to request/to have an appointment with the hairdresser; *cortarse/lavarse/secarse/teñirse el pelo,* to cut/wash/dry/dye the hair; *hacerse una manicura/pedicura/permanente*/Méx *base/mechas*/Méx *rayos,* to have a manicure/pedicure/permanent wave/highlights; *querer una limpieza/un masaje facial,* to want a facial/a facial massage; *afeitarse,* to shave oneself; *depilarse,* to depilate

***periódicos y revistas*, newspapers and magazines**
estanco/Méx *estanquillo,* tobacco shop; *prensa nacional/extranjera,* national/foreign press; *periódico/diario,* daily newspaper; *revista,* magazine; *el/la*

periodista, journalist; *el/la distribuidor/a/vendedor/a de periódicos*/Méx *periodiquero/a,* newspaper vendor; *el editorial,* the editorial section; *la sección nacional/internacional/de deportes/de anuncios,* the national/international/sports/news section; *novelas (rosas),* (romance) novels; *cuentos,* stories; *revistas cómicas,* comic books; *cigarillos*/Méx *cigarros,* cigarettes; *puros,* cigars; *tabaco,* tobacco; *mechero/el encendedor,* lighter; *cerillas*/Am *fósforos*/Méx *cerillos,* matches; *golosinas/dulces/caramelos,* sweets/candy

poner/decir algo el periódico, to put something in the newspaper/to say something in the newspaper; *salir/venir en el periódico,* to come out in the newspaper (to appear in the newspaper); *leer el periódico,* to read the newspaper; *echar un vistazo a las noticias (inter)nacionales,* to glance at the international/national news; *hacer el crucigrama,* to do the crossword puzzle

IV. PREGUNTAS

1. ¿Qué representa la escena?
2. a) ¿Qué diría Ud. sobre el ambiente del hotel: mobiliario, ventanas, decoración?
   b) ¿Es un hotel de primera categoría?
3. Observe la escena. ¿Dónde estará el hotel: en los Estados Unidos, en América Latina, en un país europeo? ¿Por qué?
4. ¿Qué empleados del hotel se ven en la lámina?
5. ¿Qué clase de personas son los huéspedes del hotel?
6. ¿Qué ve Ud. en la recepción?
7. a) ¿Qué cree Ud. que le dice el empleado a la mujer del perro?
   b) ¿Qué contestará ella?
8. a) Hay un segundo cliente en la recepción. ¿Qué puede Ud. decir de su profesión?
   b) ¿Cómo viste/está vestido?
   c) ¿Qué hará allí?
9. ¿Cómo describiría a la recepcionista?
10. ¿Qué puede decir sobre el tercer huésped que hay en la recepción, abajo a la izquierda?
11. ¿Qué podría decir de la pareja que va detrás del botones?
12. ¿A quién estará esperando el hombre que está sentado en el sillón del fondo?
13. a) ¿De dónde será la pareja de la derecha?
    b) ¿Por qué?

V. ACTIVIDADES COMPLEMENTARIAS

1. Represente la escena

a) Ud. había reservado una habitación pero su nombre falta en la lista de huéspedes del hotel.

— Exprese su sorpresa en la recepción *(¡Qué raro/extraño! . . . Me sorprende/extraña que . . .)*

— Muéstreles la copia del telegrama con la confirmación de la agencia de viajes, con la fecha de la reserva(ción).

— Exija cortésmente que le den una habitación *(Me parece que un hotel serio como éste tendría que . . .)*

b) Ud. está molesto/a de que el hotel no cumpla los requisitos de confort y tranquilidad que anuncia el folleto de turismo. Quéjese en la recepción.

(Me extraña/molesta que — el baño no tenga bañera
— la cama sea tan dura
— la habitación dé a la calle y no al interior
— . . .)

El/La recepcionista tratará de dar explicaciones, rebatir los argumentos del huésped o pedirle comprensión por dificultades surgidas a última hora.

c) Ud. quiere lavarse y cortarse el pelo. Haga una cita en la peluquería averiguando hora y precio, y explicándole luego al peluquero/a la peluquera cómo quiere el corte de pelo.

d) Llame por teléfono y reserve una habitación en un hotel de tres/cuatro estrellas: individual/doble, con calefacción/aire acondicionado, teléfono, televisión, que no dé a la calle . . .

Averigüe qué otras comodidades tiene el hotel (véanse también los cuadros siguientes).

2. Expresión oral

Pida información o ayuda en la recepción:

— *«¿Podría, por favor, darme un mapa de la ciudad?»*
prestarme la guía telefónica?»
decirme dónde está . . . ?»
. . .

Otro alumno responde

— positivamente: *«Con mucho gusto, voy a dárselo/se lo daré.»*

— negativamente: *«Lo siento/siento mucho, pero no puedo dárselo.»*

3. Trabajo escrito

a) Ud. quiere reservar una habitación en el Hotel Bahía de San Andrés, Colombia/Playa Dulce de Almería, España. Escriba una carta con los datos exactos.

b) Cancele/anule la reserva que había hecho en el Hotel Ciudad de Panamá. Diga que está enfermo y adjunte un certificado médico para demostrar que no miente.

c) Ud. dejó un saco/una falda colgado/a en el armario del hotel. Escriba una carta a la gerencia con los datos exactos *(fecha de su estancia allí, número de la habitación, características de la prenda olvidada)*. Pida que se lo manden y advierta que les reembolsará el importe del envío.

4. Repaso

Responda a las siguientes preguntas con oraciones de deseo, introduciéndolas con **¡ojalá!**

Ejemplo: ¿Es tu hotel de primera categoría? (¡Ojalá [lo] fuera!)

— ¿Está el hotel en el centro?

— ¿Tienes una buena habitación?

— ¿Puedes dormir bien allí?

— ¿Te han cambiado la cama?

— ¿Funciona el aire acondicionado?

— ¿Estuvo buena la cena de anoche?

5. Adivinanza: En el hotel

En una habitación de un hotel hay una mesa de noche, sobre ésta hay un teléfono, junto al teléfono hay una guía de teléfonos; al lado de la mesa de noche hay una cama; en la cama hay un hombre acostado, se da vuelta a la derecha, no puede dormir; se da vuelta a la izquierda, no puede dormir; se sienta, coge la guía, busca un número, marca; al otro lado de la línea contestan: «¡Dígame!» Nuestro hombre no dice ni una palabra, cuelga, se acuesta y se duerme plácidamente. ¿Qué ha pasado?

— Háganle preguntas a su profesor/a. Él/ella sólo va a contestar con «sí» o «no».

6. Discusión

La ho(s)telería es una profesión que atrae a muchos jóvenes. ¿En qué se basa esa atracción y cuáles son los aspectos negativos de trabajar, por ejemplo, en la recepción de un hotel?

Aspectos positivos: trabajo variado, contacto con personas de diferente proveniencia, práctica de lenguas extranjeras . . .

Aspectos negativos: tener que aguantar la arrogancia y, con frecuencia, descortesía de los huéspedes; sentirse obligado a defender la administración y el funcionamiento del hotel, incluso cuando se es de otra opinión; ser en realidad un servidor . . .

Transparencia 7: En casa

I. INTRODUCCION

— ¿Vive usted en una casa/un apartamento o tiene sólo una habitación? ¿Cómo está amueblado/a?

— ¿Le gusta estar en casa o necesita salir continuamente?

II. INFORMACION CULTURAL

In the Spanish-speaking world, particularly in the warmer climates, houses are often built around an interior courtyard called a *patio*. The *patio* allows the family to enjoy the outdoors while preserving privacy. It also helps create cross-ventilation to cool the house during the hottest months. In the cities, where dwellings are built adjacent to each other and where the summer heat can be particularly intense, the *patio* is a haven of privacy and cool shade.

III. VOCABULARIO

piso/Am *departamento/apartamento,* apartment; *planta baja/alta,* first floor/second floor; *buhardilla,* attic; *ático,* penthouse; *escaleras,* stairs; *sótano,* basement; *cuarto trastero,* junk room; *el garaje,* garage

la entrada, entry; *vestíbulo/el hall,* hall; *pasillo,* corridor; *perchero,* clothes rack; *percha,* clothes hanger; *paragüero,* umbrella stand

***la sala de estar,* living room**
sala-comedor/Chile, Arg, Ur *el living-comedor,* living room-dining room; *el salón/sala/cuarto de estar,* sitting room/living room; *la pared,* wall; *suelo,* floor; *alfombra,* carpet; *moqueta,* carpet; *ventana,* window; *cortina,* curtain; *persiana,* blinds; *el sofá,* couch, sofa; *el sillón,* armchair; *silla,* chair; *mecedora,* rocking chair; *el cojín,* cushion; *lámpara de mesa/de pie,* table lamp/floor lamp; *el televisor,* television set; *el vídeo,* video; *grabadora,* tape recorder; *mesilla,* small table; *cuadro/pintura,* picture/painting; *el comedor,* dining room; *el mantel,* tablecloth; *servilleta,* napkin; *alacena*/Am *el buffet*/Méx *el trinchador/vitrina,* China cabinet; *el balcón,* balcony; *terraza,* terrace; *patio,* patio; *el jardín,* garden; *el alquiler*/Méx *renta,* rent; *servicios: el agua/la luz/la electricidad,* utilities: water/light/electricity; *teléfono,* telephone

***la cocina,* kitchen**
cocina eléctrica/de gas, electric range/gas range; *estufa,* stove; *horno (microondas),* (microwave) oven; *nevera*/Méx *el refrigerador/frigorífico,*

refrigerator; *el aparador/alacena,* cupboard; *despensa,* pantry; *el cajón,* drawer; *el estante/estantería,* shelves; *paño,* dishcloth; *toalla,* towel; *el delantal,* apron; *fregadero,* sink

***los utensilios de cocina,* kitchen utensils**
vasija/el recipiente, container; *cazo*/Am *olla,* pot or kettle; *cazuela,* casserole; *cacerola,* casserole; *la sartén,* frying pan; *el molde,* mold; *tabla para cortar,* cutting board; *tarro,* jar; *frasco,* small bottle; *jarro,* jug, jar or pitcher; *el pote,* pot; *el cucharón,* ladle; *cuchara de palo,* wooden spoon; *cubiertos: tenedor/cuchillo/cuchara,* place settings: fork/knife/spoon; *vajilla*/Méx *loza,* set of dishes; *plato,* plate; *taza,* cup; *la fuente,* platter; *bandeja*/Am *charol(a),* tray; *vaso/copa,* glass/cup

***los electrodomésticos,* electrical household appliances**
lavadora, clothes washer; *secadora,* clothes dryer; *plancha,* iron; *el lavavajillas,* dishwasher; *el lavaplatos,* dishwasher; *cafetera eléctrica,* coffee maker; *aspiradora,* vacuum cleaner; *el auxiliar de cocina,* kitchen aide; *batidora,* beater; *licuadora,* blender; *tostador/a,* toaster

guisar, to cook; *cocinar/preparar la comida,* to cook/to prepare the meal; *poner/quitar la mesa,* to set/to clear the table; *hacer una torta/un bizcocho/pastel/galletas,* to make a cake/sponge cake/pie/cookies; *meter el bizcocho al horno,* to put the cake in the oven

***la habitación,* bedroom**
cuarto/pieza/dormitorio/Méx *recámara,* bedroom; *cama,* bed; *el sofá-cama,* sofa bed; *armario,* closet; *armario empotrado,* built-in closet; *escritorio,* desk; *librería*/Am *el estante/estantería de libros*/Méx *librero,* bookshelf; *silla,* chair; *el juguete,* toy; *pelota,* ball; *raqueta,* racket; *el saxofón,* saxophone; *la radio (casete),* radio (cassette player); *el tocadiscos,* record player; *el disco,* record; *el cartel,* poster; *el afiche,* poster; *el despertador,* alarm clock

***el cuarto de baño,* bathroom**
el grifo, faucet; *ducha*/Méx *regadera,* shower; *bañera,* tub; *el wáter/el retrete*/Am *inodoro,* toilet; *lavabo*/Am *el lavamanos,* sink; *el papel higiénico,* toilet paper; *cepillo de dientes,* toothbrush; *dentífrico,* toothpaste; *el jabón,* soap; *esponja,* sponge; *espuma de baño,* bath foam; *el champú,* shampoo; *el desodorante,* deodorant; *maquinilla/máquina de afeitar,* electric razor; *toalla,* towel; *el albornoz/el batín/bata de baño,* bathrobe

***la limpieza,* cleaning**
el detergente, detergent; *la escoba,* broom; *paño/trapo del polvo,* dust rag; *fregona*/Am *trapero,* mop/dust mop; *cubo*/Am *el balde,* pail, bucket

arreglar la casa/la cocina, to straighten up the house/the kitchen; *poner orden en la casa,* to tidy up the house; *hacer la limpieza,* to do the cleaning; *limpiar la casa/fregar*/Am *lavar y secar la vajilla*/Am *los platos,* to clean the house/to mop/to wash and dry the dishes; *pasar el aspirador/la aspiradora,* to vacuum; *fregar*/Am *limpiar el piso*/Méx *trapear el suelo,* to mop the floor; *quitar/limpiar el polvo,* to dust; *lavar/planchar la ropa,* to wash/iron the clothes

estar/quedarse en casa, to stay at home; *ver la televisión,* to watch television; *ir/volver a casa,* to go home/to return home; *salir/irse/marcharse de casa,* to leave the house; *alquilar*/Méx *rentar una casa,* to rent a house; *la, habitación da a la calle/al interior,* the room faces the street/faces the inside; *pagar los servicios,* to pay for utilities

fórmulas de cortesía: está usted en su casa/estás en tu casa, courteous expressions: make yourself at home; *siéntase como en su casa,* make yourself at home

IV. PREGUNTAS

1. a) ¿Cuántos miembros tiene/De cuántos miembros consta la familia que vive en esta casa?
   b) ¿Quiénes son y dónde están?
2. Usando adverbios y preposiciones, diga qué muebles hay en la sala-comedor y dónde están. *(por ejemplo: al fondo hay . . . , a la izquierda está . . .)*
3. ¿Qué hacen los padres y la abuela?
4. ¿Podría reconocer algunos utensilios de la cocina y decir para qué son?
5. ¿Qué más hay en la cocina y para qué sirve cada cosa?
6. ¿Qué hará el chico que está en la cocina?
7. ¿Cuántas habitaciones hay en la planta de arriba?
8. a) ¿Cómo describiría Ud. la habitación de la derecha? *(ordenada/desordenada, limpia/sucia . . .)*
   b) ¿Cuántos años tendrá la «dueña» de la habitación?
   c) ¿A qué actividades cree Ud. que se dedica la chica en su tiempo libre?
9. a) Describa la habitación de la izquierda.
   b) ¿Dónde está el dueño de la segunda cama?
   c) ¿Cuál de los dos hermanos cree Ud. que es el mayor?
   d) ¿A qué actividades se dedica cada uno de los chicos en sus ratos libres?
10. Compare las dos habitaciones y diga cuál le gusta más y por qué.
11. a) ¿Qué hay en el baño?
    b) Describa los artículos de baño y aseo que se ven en la lámina y diga para qué es cada uno.

V. ACTIVIDADES COMPLEMENTARIAS

1. Expresión oral

a) Describa su habitación. ¿Se parece a la de la lámina? ¿En qué difiere de ella? A propósito: ¿se siente Ud. a gusto en su habitación?

b) Si Ud. tuviera mucho dinero y pudiera comprarse/construirse la casa ideal, ¿cómo sería su casa?

c) ¿Prefiere Ud. los muebles antiguos o los modernos? ¿Por qué en cada caso?

2. Trabajo escrito

Escriba una carta a la Oficina de Turismo de Santander, España, pidiendo información sobre casas de vacaciones en los alrededores de la ciudad. La carta debe contener

— fechas de llegada y partida

— número de personas

— tipo de apartamento/chalet que Ud. busca (situación, tamaño, comodidades)

— la suma que Ud. está dispuesto/a a pagar

— el deseo de recibir la dirección de los propietarios de la casa

3. Repaso

El divorcio no		profesora de inglés.
La mujer sigue		hasta hoy una utopía.
Ana	ser	todavía sólo tarea de la mujer.
La igualdad de derechos	o	aprobado en todos los países.
Las labores domésticas	estar	tan bien remunerado como el del hombre.
El trabajo de la mujer todavía no		subrepresentada en la vida pública.

4. Discusión

Hoy en día cada vez más hombres colaboran en las labores de la casa; muchos incluso se ocupan exclusivamente de ellas, mientras que sus mujeres ganan el dinero.

— ¿Qué opina Ud. sobre esta cambio de roles? Pros y contras de la profesión de «amo de casa».

Transparencia 8: De compras

I. INTRODUCCION

— Cuando usted va de compras, ¿prefiere los grandes almacenes o las tiendas pequeñas especializadas?

— Cuando usted tiene dinero de sobra, ¿en qué prefiere gastarlo: en libros, en discos o casetes, en ropa . . . ?

II. INFORMACION CULTURAL

In recent years, supermarkets and department stores have become increasingly popular in the Spanish-speaking world. Traditionally, homemakers would spend a large part of each day shopping for food and household items in specialty stores and open-air markets. Nowadays, the growing number of double-income families and the convenience of supermarkets and department stores are changing people's shopping habits. However, when they have time to shop, people in Spanish-speaking countries still like to visit small specialty stores where they receive friendlier, personalized service. The tradition of the open-air market also remains strong; the weekly markets held in many cities and towns are very popular among the inhabitants.

III. VOCABULARIO

tienda, shop; *el almacén,* department store; *los grandes almacenes,* big department stores; *supermercado,* supermarket; *hipermercado,* supermarket; *la boutique,* boutique; *el escaparate*/Am *vitrina*/Arg *vidriera,* showcase window; *el maniquí,* mannequin; *el vestidor/probador,* dressing room; *espejo,* mirror; *depósito,* store warehouse

***el personal,* staff**
el/la gerente, manager; *secretaria,* secretary; *el/la dependiente,* sales clerk; *el/la vendedor/a,* sales clerk; *cajero/a,* cashier; *el/la sastre,* tailor; *modisto/a,* dressmaker; *el/la modelo,* model; *el cliente,* customer; *clienta,* customer

***los departamentos/las secciones,* departments**
señoras/caballeros/niños, ladies/men/children; *artículos para el hogar,* household items; *artículos eléctricos,* electronics; *papelería,* stationery; *joyería y bisutería*/Am *fantasía,* jewelry and costume jewelry; *mercería,* notions; *cosméticos,* cosmetics; *artículos de regalo,* giftware; *artículos musicales,* musical items; *juguetería,* toys; *dulces y chocolates,* sweets and chocolates; *comestibles,* foods

***ropa de señoras,* women's clothing**
falda/Am *pollera,* skirt; *el pantalón/los pantalones,* pants; *blusa,* blouse; *chaqueta,* jacket; Esp *cazadora*/Méx *chamarra,* jacket; Esp *el jersey*/Am *el suéter,* sweater; Ec, Perú, Bol *chompa,* sweater; Esp *rebeca*/Am *saco/chompa de lana o algodón,* wool or cotton sweater; *el blazer,* blazer; *vestido,* dress; *abrigo,* coat; *gabardina,* raincoat; *el chándal/buzo*/Col *sudadera,* sweat suit; *zapatillas (de tenis),* tennis shoes; *zapatos de cuero/piel/tenis/de tacón (alto),* leather shoes/tennis shoes/high-heeled shoes; *los mocasines,* moccasins

***ropa interior,* underwear**
Esp *bragas*/Am *calzones/bombachas*/Méx *panti/el calzón,* underpants; *el sujetador/el sostén,* bra; *medias panti/el panti*/Méx *pantimedia,* pantyhose; *el pijama,* pajamas; *el camisón,* nightgown, nightshirt; *el calcetín*/Méx *calceta*/Arg, Chile, Ur *el zoquete,* sock, stocking

***ropa de caballeros,* men's clothing**
el traje, suit; *saco*/Esp *americana,* jacket; *camisa,* shirt; *corbata,* tie; *pajarita,* bow tie; *el cinturón/cinto,* belt; *los pantalones cortos,* shorts; *las bermudas,* Bermuda shorts; *camiseta,* T-shirt; *calzoncillo(s),* underpants

***la costura,* sewing**
cuello, neck; *manga,* sleeve; *el botón,* button; *largo de falda/pantalón,* skirt/pant length; *ancho de cintura/talle,* width of the waist; *dobladillo/el doblez*/Méx *bastilla,* hem

***artículos musicales,* musical items**
el tocadiscos, record player; *el equipo estéreo,* stereo equipment; *los auriculares,* earphones; *audífono,* earphones; *el amplificador,* amplifier; *el altavoz/el parlante*/Méx *la bocina,* speaker; *grabadora,* tape recorder; *la radio (casete),* radio (cassette player); *el/la casete,* cassette tape; *disco compacto,* compact disc; *instrumento musical,* musical instrument; *guitarra,* guitar; *el tambor,* drum; *batería,* drums

***artículos deportivos,* sports equipment**
los esquís, skis; *el bote,* boat; *remo,* oar; *pelota,* ball; *el balón de rugby/fútbol americano,* football; *zapatos de fútbol,* football shoes; *arco y flechas,* bow and arrows; *raqueta de tenis/ping-pong,* tennis racket/ping-pong paddle; *el guante/máscara de béisbol,* baseball glove/mask; *botas,* boots; *el traje de montar/de equitación,* riding clothes

ir de compras/tiendas, to go shopping; *probarse la ropa,* to try on clothes; *comprar en oferta/rebajas/liquidación*/Méx *barata,* to buy on sale; *buscar un artículo en talla/número . . . ,* to look for something in your size; *la tienda tiene un amplio surtido,* the store has an ample supply; *la mercancía está cara/barata,* the merchandise is expensive/inexpensive; *el artículo está agotado,* we've run out of the item; *mandarse hacer algo a medida,* to have something made to measure; *quiero esta falda en la talla . . .* , I want this skirt in a size . . . ; *¿podría mostrarme esta chaqueta en la talla . . . ?*, could you show me this jacket in a size . . . ?; *me está/queda muy bien,* it fits very nicely; *me viene a la medida,* it fits me; *me está estrecho/amplio/ancho de cintura/largo/corto de mangas,* it is too narrow/big/too wide in the waist/too long/too short in the sleeves

IV. PREGUNTAS

1. ¿De qué tema trata esta lámina?
2. ¿Podría enumerar los departamentos de esta tienda/las secciones de estos almacenes que se ven en la lámina?
3. Observe la sección de caballeros y diga qué venden allí.
4. a) ¿Qué hace el cliente?
   b) ¿Cómo encuentra Ud. que le están la chaqueta y los pantalones?
5. ¿Qué hace el vendedor que está atendiendo a ese cliente?
6. En la sección de caballeros hay otro cliente. ¿Qué puede decir de él?
7. a) Describa la escena en la sección de señoras.
   b) ¿Qué le disgusta a la niña?
8. ¿Qué clase de ropa venden en esta parte de la sección?
9. ¿Cómo describiría a los clientes de la sección de artículos musicales?
10. ¿Hay otros clientes en esta sección?
11. ¿Cuántos clientes hay en la sección de artículos deportivos?
12. ¿Qué hace la mujer delante del vestidor?

V. ACTIVIDADES COMPLEMENTARIAS

1. Expresión oral

¿Qué dice

a) la vendedora, cuando Ud. está mirando algo?

b) Ud., cuando quiere que le dejen mirar algo en paz?

c) Ud., cuando quiere que lo/la atiendan?

d) Ud., cuando quiere probarse algo?

e) Ud., cuando no está seguro/a de si quiere comprar el artículo?

f) el cajero/la cajera que no puede aceptar su cheque?

2. Definiciones

Explique el significado de las siguientes expresiones:

a) tener amplio surtido
b) estar agotado un artículo
c) estar en época de rebajas
d) reclamar/hacer una reclamación

3. Represente la escena

a) Tratar de persuadir

— la madre a la niña en la sección de ropa.

— el cajero a la mujer en la sección de artículos musicales. *(Ella no encuentra la casete que busca; él trata de convencerla para que compre otra casete.)*

b) Reclamar

— Un cliente a un/a vendedor/a *(la plancha que el cliente compró ayer no funciona).*

4. Ordenar

Buscar a qué sección pertenece cada artículo:

— Explique para qué se usa cada uno de los artículos.
— ¿Qué otros artículos se consiguen en estas secciones?

5. Diálogo inconcluso

En la zapatería

A: ¿Qué desea?
B: Busco ________.
A: ¿Qué ________?
B: 43, de ________.
A: No los tenemos en ________ pero sí en ________.
B: Aquéllos de ________, ¿________?
A: 5.000 pesos.
B: ¿Puedo ________?
A: Sí, aquí puede ________.

En la tienda

A: ¿Cuánto ________ aquella ________ de la izquierda?
B: Ésta ________ cuesta 8.000 pesos.
A: ¿De ________ es?
B: Es de ________ china. Es de ________ calidad.

A: ¿Qué ________ quiere?
B: ________ 36, por favor.
A: ¿Y qué ________ prefiere?
B: Prefiero los ________ claros.
A: Aquí tiene. Allí a la derecha está el ________.

6. Trabajo escrito

Lea atentamente la carta a continuación y escriba la carta que ocasionó esta respuesta:

Barcelona, 26-3-1989

Muy Sr. mío:
Muchas gracias por su pedido del 23 de marzo. Lamentablemente el artículo nº 4582N (falda) sólo podemos servírselo en los colores que figuran en catálogo. Con relación al artículo nº 4586C, se trata de unos pantalones cuya composición es de un 50% de algodón y un 50% de lino y podemos enviarle tallas entre la 38 y la 42.

El precio de estas prendas puede encontrarlo Ud. en el mismo catálogo al que hace referencia su carta.

Esperando haberle facilitado toda la información solicitada, aprovechamos la ocasión para saludarle/la atentamente (muy cordialmente).

P.H. y Cía.

7. Trabajo en grupo

Análisis de anuncios publicitarios.

Formar grupos y repartir entre ellos anuncios de diferentes productos (bebidas alcohólicas, coches, cigarrillos, detergentes, etc.) presentados por mujeres. Cada grupo debe analizar uno o dos anuncios fijándose especialmente en sus rasgos comunes y en el papel que juega la mujer en ellos.

Después presenta cada grupo los resultados al pleno.

— ¿Corresponden estas imágenes a la realidad?

— ¿Se identifican las mujeres con este rol?

— ¿Por qué se las escoge como objeto de publicidad?

8. Discusión

El vídeo se hace cada vez más popular. ¿Cuáles son los pros y contras de este aparato?

pros: *posibilidad de ver un programa más tarde cuando no se tiene tiempo a la hora indicada, de conservar películas de especial interés; nuevas posibilidades de aprendizaje, etc.*

contras: *peligro de que se vea todavía más televisión y de ser seducido a «consumir» nuevos objetos, por ejemplo una vídeo-cámara, etc.*

Transparencia 9: El tiempo libre

I. INTRODUCCION

— ¿Tiene usted mucho tiempo libre?

— ¿Practica usted algún deporte? ¿Cuál es su deporte preferido?

— ¿Qué le sugiere la expresión «ocio creador»?

II. INFORMACION CULTURAL

Soccer is the most popular sport in the Spanish-speaking world. Each local and national team has its ardent fans who regularly attend the games, watch them on television, or listen to them on the radio. The Spanish-speaking world is generally well represented at the World Cup (copa mundial) Soccer tournament held every four years. In 1978 and 1986, the World Cup was won by the team from Argentina. Uruguay won the first World Cup in 1930 and won again in 1950.

III. VOCABULARIO

***juegos, deportes, cámping,* games, sports, camping**
el/la jugador/a, the player; *las cartas,* cards; *el ajedrez,* chess; *las damas,* checkers; *gimnasia,* gymnastics; *atletismo,* athletics; *el/la deportista,* sportsman/sportswoman; *el balón/la pelota,* ball; *equipo,* team; *el fútbol,* soccer; *campo*/Am *cancha,* field/court; *partido,* game; *portero,* goalkeeper; *portería,* goal line; *el gol,* goal; *baloncesto,* basketball; *voleibol/balonvolea,* volleyball; *balonmano,* handball; *la pelota de tenis/de ping-pong/de béisbol,* tennis ball/ping-pong ball/baseball; *raqueta,* racket; *el bate,* bat; *el golf,* golf; *bicicleta,* bicycle; *ciclismo,* cycling; *ciclo-turismo,* bike touring; *motocicleta,* motorcycle; *casco,* helmet; *los patines,* skates; *el patinaje (sobre hielo),* (ice)skating; *la equitación,* horseback riding; *el/la jinete/a,* horseback rider; *caballo,* horse; *excursionismo,* hiking; *montañismo,* climbing; *alpinismo,* mountain climbing; *el/la alpinista,* mountain climber; *el/la esquiador/a,* skier; *los esquís,* skis; *las fijaciones,* bindings; *las botas de montaña/de esquí,* climbing boots/ski boots; *teleférico,* cable car; *el telesilla,* chair lift; *el ala delta,* hang glider; *el velero/el barco de vela,* sail boat; *remo,* oar; *buceo,* diving; *la natación,* swimming; *piscina,* pool; *tabla de surf,* surf board; *tienda de campaña*/Am *carpa,* tent; *el saco de dormir,* sleeping bag; *mochila,* knapsack; *cantimplora,* canteen; *hornillo/el asador/parrilla,* grill; *los deportes acuáticos,* water sports; *la (auto)caravana,* trailer

hacer deporte, to play sports; *practicar un deporte,* to practice a sport; *correr,* to run; *saltar,* to jump; *hacer una excursión,* to go on a trip; *jugar a las cartas/echar una partida de cartas,* to play cards/to play a game of cards; *jugar al ajedrez/al baloncesto,* to play chess/to play basketball; *montar a caballo,* to go horseback riding; *hacer cámping/acampar,* to go camping

***diversiones y aficiones,* pastimes and hobbies**
ocio, leisure time; *disco,* record; *la radio,* radio; *la radiocasete,* radio-cassette player; *el/la casete,* cassette, cassette tape; *grabadora/*Am *casetera,* tape recorder; *cocina,* cooking; *costura,* sewing; *bordado,* embroidery; *el baile,* dancing; *pesca (submarina),* (underwater) fishing; *el/la pescador/a,* fisherman, fisherwoman; *caña de pescar,* fishing rod; *anzuelo,* fishhook; *caza,* hunting; *el/la cazador/a,* hunter; *escopeta,* rifle; *discoteca,* discotheque; *corrida de toros,* bullfight; *rodeo,* rodeo

escuchar música/radio, to listen to music/the radio; *ver la televisión,* to watch television; *poner un disco/un(a) casete,* to play a record/a cassette; *cocinar,* to cook; *coser,* to sew; *bordar,* to embroider; *hacer punto/*Am *tejer,* to do needlepoint; *hacer ganchillo/*Am *crochet,* to crochet; *pintar,* to paint; *bailar,* to dance; *salir a bailar,* to go out dancing; *¿vamos a bailar?,* are we going dancing?; *¿cuándo nos vemos otra vez?,* when will we see each other again?

***arte y cultura,* the arts and culture**
música, music; *instrumento musical,* musical instrument; *piano,* piano; *guitarra,* guitar; *el violín,* violin; *flauta,* flute; *lectura,* reading; *teatro,* theatre; *concierto,* concert; *el cine,* movie theatre; *la exposición,* show

interesarse por/ser aficionado a/la música/la pintura/la literatura, to interest oneself in/to be a fan of/music/painting/literature; *tocar el piano/la guitarra,* to play the piano/guitar; *ir al cine/teatro/concierto,* to go to the movies/theatre/concert; *dos entradas para esta tarde/mañana por la tarde, por favor,* two tickets for this afternoon/tomorrow afternoon, please

IV. PREGUNTAS

1. a) ¿Qué título le pondría usted a este dibujo? ¿Por qué?
   b) ¿Qué tiempo hace?
2. ¿Qué ve Ud. en la lámina? Descríbalo con adverbios y preposiciones. *(En primer plano . . . , a la izquierda . . .)*
3. ¿Qué hace la pareja en primer plano?
4. ¿En qué consiste el equipo mínimo de cámping?
5. ¿Qué deportes suelen practicar las personas que hacen cámping?
6. ¿Por qué prefieren muchas personas acampar a alojarse en un hotel o una pensión?
7. a) ¿A qué se dedica la pareja de la izquierda?
   b) ¿Cuáles son las ventajas de esta actividad?

8. a) ¿Qué está haciendo el hombre del fondo a la izquierda?
   b) Describa la indumentaria y el equipo necesarios para este deporte.
9. a) El señor que va por el centro, ¿por qué irá empujando su bicicleta?
   b) ¿A Ud. le gusta ir en bicicleta? ¿La usa como medio de transporte o sólo para hacer excursiones en su tiempo libre?
10. a) ¿Qué ve Ud. a la derecha de la flecha que dice «oficina, supermercado»?
    b) ¿Es la equitación un deporte de masas? Dé razones para su opinión.
11. En la lámina, a la derecha, hay tres personas más. ¿Qué están haciendo?

V. ACTIVIDADES COMPLEMENTARIAS

1. Represente la escena

Usted invita a un amigo/a una amiga:

— al cine o a cenar

— a una excursión de dos días

— a un concierto de música clásica

	Reacciones posibles	
propuesta	**rechazar cortésmente**	**aceptar con gusto**
¿Qué tal si . . . ?	Lo siento, pero . . .	Es una buena idea.
¿Quieres que . . . ?	Me gustaría, pero . . .	De acuerdo.
¿Qué te parece si . . . ?	Lamentablemente . . .	Encantada, encantado.
¿Te gustaría . . . ?	Es una lástima, pero . . .	Estupendo.
Si quieres . . .	Desafortunadamente . . .	Maravilloso.

2. Expresión

¿Qué dice Ud. en las siguientes situaciones?

a) Usted ha olvidado su carnet de estudiante. Trate de convencer al encargado del albergue juvenil de que le permita albergarse sólo con su pasaporte o carnet de identidad.

b) A usted le han robado su cámara fotográfica y va a la comisaría a poner una denuncia.

c) Usted quiere alquilar un equipo de esquí y no tiene dinero en efectivo. En la tienda no aceptan cheques.

3. Repaso

El estilo indirecto
Formar primero parejas que conversen sobre sus preferencias en torno a:

la música	los deportes
el baile	la comida
la televisión	la lectura
la radio	el cine

Luego uno de los dos informa al resto del grupo sobre las aficiones de su compañero/a, contando en presente *(dice que le gusta mucho bailar)*; el otro lo hace usando el pasado *(dijo que le gustaba la cocina china).*

4. Trabajo escrito

a) Escriba una carta a un/a amigo/a contándole lo que hizo el fin de semana pasado *(qué tiempo hizo, a qué hora se levantó, qué actividades desarrolló . . .)*

b) Ud. y un/a amigo/a quieren irse de cámping una semana. Hagan una lista de los utensilios indispensables.

5. Conversación

— ¿Qué deportes son típicos de verano? ¿Cuáles se practican en su país?

— ¿Qué deportes son típicos de invierno? ¿Cuáles están de moda?

— ¿Se pueden practicar esos deportes en su país?

— ¿Qué deportes de verano se pueden practicar en invierno en un gimnasio?

6. Discusión

Según una encuesta realizada en España, la mayoría de los jóvenes españoles entre los 15 y 20 años prefieren las ocupaciones **activas,** como salir al campo de excursión, practicar un deporte, tocar un instrumento, ir a la discoteca con amigos, etc. Sólo una pequeña minoría prefiere una ocupación **pasiva** como ver televisión, leer, pintar, escuchar música.

— ¿Cómo pasan los jóvenes en su país el tiempo libre? ¿Existe una diferencia con respecto a los españoles? Argumentos en pro y contra de ambos tipos de ocupaciones.

Transparencia 10
La información turística

I. INTRODUCCION

— Usted quiere pasar sus próximas vacaciones en España/Latinoamérica. ¿Qué tipo de información necesita y dónde puede obtenerla?

— En vacaciones, ¿prefiere usted ir a un hotel, alquilar un chalet o apartamento o hacer cámping/acampar?

II. INFORMACION CULTURAL

Spain has a very active National Tourist Office that promotes the country's attractions abroad and maintains an extensive information network for travelers in Spain. In many towns, visitors will find a tourist information office like the one shown on the transparency. Here, tourists will find local maps, brochures, and listings of cultural events, as well as information on the times that museums and other attractions are open. The tourist office representatives can also sell tickets for tours and excursions and even make hotel reservations.

III. VOCABULARIO

***el turismo*, tourism**

oficina de información turística, tourist office; *agencia de viajes,* travel agency; *el/la turista,* tourist; *empleado/a,* employee; *turismo,* tourism; *el mostrador,* counter; *el mapa/plano de la ciudad,* city map; *el itinerario,* itinerary; *el mapa de carreteras,* road map; *folleto,* brochure; *el cartel,* poster; *la excursión/el tour,* trip/tour; *una guía turística,* tour guide; *el/la guía,* guide; *visita guiada de la ciudad,* guided tour of the city; *tablero de anuncios,* bulletin board; *sitios de interés turístico,* tourist attractions; *el souvenir/recuerdo de viaje,* souvenir; *monumento,* monument; *iglesia,* church; *castillo,* castle; *palacio,* palace; *los parques nacionales,* national parks

pedir información en la oficina de turismo, to ask for information in the tourist office; *hacer una excursión/un tour,* to take a trip/a tour; *reservar una habitación,* to reserve a room; *buscar una palabra en el diccionario,* to look up a word in the dictionary; *buscar algo en el mapa de la ciudad,* to look for something on the city map; *preguntar por el camino,* to ask for directions; *explicar el camino a alguien,* to give directions to someone; *sacar/comprar las entradas*/Méx *los boletos para un espectáculo,* to take out/buy tickets for a show; *cambiar dinero,* to convert money; *los precios incluyen/no incluyen . . . ,* prices include/do not include

***el hospedaje,* lodging**

hotelero, hotelkeeper; *el huésped,* guest; *el hotel,* hotel; Esp *el hostal,* inn; Esp *el parador,* inn; *la pensión*/Chile *la residencial,* boardinghouse; *fonda,* boardinghouse; *el albergue juvenil,* youth hostel; *refugio,* shelter; *el chalet,* chalet; *apartamento,* apartment; *cabaña,* cabin; *la habitación sencilla/doble,* single room/double room; *con/sin cuarto de baño,* with/without bathroom; *ducha,* shower; Esp *lavabo*/Am *lavamanos,* sink; *con agua caliente,* with hot water; *con vista al mar,* with a view of the ocean; *con desayuno,* breakfast included; *la media pensión,* partial board; *la pensión completa,* full board; *el cámping,* camping ground; *tienda*/Am *carpa,* tent; *mochila,* knapsack; *saco de dormir,* sleeping bag

reservar una habitación, to reserve a room; *alquilar*/Méx *rentar un chalet/un apartamento,* to rent an apartment

***la locomoción,* locomotion**

medios de transporte, means of transportation; *el avión,* plane; *vuelo regular/chárter,* regular flight/charter flight; *el autocar,* motor coach; *el taxi*/Méx *carro de sitio,* taxi; *el autobús*/Méx *camión*/Arg *colectivo,* bus; *el microbús*/Chile *la micro,* minibus

IV. PREGUNTAS

1. ¿Qué representa la lámina?
2. ¿En qué país está la oficina? ¿Por qué?
3. ¿Qué informaciones pueden obtenerse en una oficina de turismo?
4. a) ¿Qué busca el hombre con el chico, a la derecha?
   b) ¿Por qué prefiere mucha gente hacer cámping a arrendar un chalet o un apartamento?
5. Describa la escena entre el joven turista de camiseta de rayas y la empleada.
6. a) ¿Qué está haciendo la señora mayor que está sentada al fondo, debajo del cartel de Salamanca?
   b) ¿Cree Ud. que la señora quiere viajar sola al Perú?
7. ¿Qué incluyen generalmente los tours?
8. a) ¿Los jóvenes suelen viajar en tours?
   b) ¿Por qué?
9. ¿Qué profesión cree Ud. que tiene el hombre en el centro, al fondo? ¿Qué quiere del empleado?
10. a) ¿Qué está haciendo la mujer de la izquierda, en primer plano?
    b) ¿Por qué preferirá hacer una excursión a ir en tren?
    c) ¿Sabe Ud., a propósito, por qué es famoso el Escorial?

11. ¿Qué sabe Ud. de los sitios de los que se hace propaganda en los carteles del fondo?

V. ACTIVIDADES COMPLEMENTARIAS

1. Represente la escena

a) Preguntar cortésmente en la oficina de información turística por:

— la dirección de la estación de autobuses
— la exposición de pintura mexicana contemporánea (lugar, horario, valor de la entrada)
— el horario del Museo del Prado

b) Protestar por los siguientes motivos:

— Ud. está en un restaurante de primera categoría y se ha encontrado un pelo en la sopa.
— En el hotel la almohada de su cama es muy dura y la ducha no funciona.
— Ud. va en taxi. El taxista da una vuelta innecesaria para poder cobrar más.

c) Aconsejar

¿Qué le diría Ud. a un amigo español/latinoamericano que quiere ir a su país de vacaciones? Déle consejos sobre los sitios que debe visitar y las cosas que debe evitar, utilizando el imperativo.

Frases necesarias: ve primero a . . .
no dejes de ver . . .
ten cuidado con . . .
no vayas a . .

2. Refranes y modismos

Explique el significado de los siguientes refranes:

— Donde fueres, haz lo que vieres.
— Preguntando se va/llega a Roma.
— Salir de Guatemala para entrar en Guatepeor.

3. Expresión

a) Oral

«Planes de viaje»:
Dividir el grupo por parejas y entregar a cada pareja prospectos de viaje de un país o una ciudad determinada. Cada pareja debe hacer un plan de viaje e informar al grupo de su proyecto, utilizando el futuro.

(Mapas, láminas, fotografías, postales constituyen un buen material adicional.)

b) Escrita

Ud. ha reservado un pasaje para ir al Ecuador. Lamentablemente no puede realizar este viaje. Escriba una carta a la agencia de viajes para:

—comunicarles que está enfermo y no puede viajar

—adjuntarles un certificado médico

—pedirles que cancelen su reserva y le devuelvan su pago anticipado

—agradecerles de antemano su amabilidad

Escriba una composición sobre las mejores vacaciones que ha pasado hasta ahora.

4. Juego

«Biografía»

Inventar un personaje e imaginarse su biografía. Los alumnos contarán espontáneamente diversas fases de su vida, desde su nacimiento hasta su muerte. Decidir claramente, antes de comenzar, sexo y nacionalidad del personaje.

Actividad adicional: Si el interés del grupo lo permite, cada alumno puede escribir al final la versión general o su propia versión del cuento.

5. Repaso

Poner los verbos entre paréntesis en la forma correcta del futuro:

— Este año los Weber ________ (ir) a España.

— Astrid también ________ (pasar) las vacaciones allí.

— (Ella) primero ________ (hacer) un curso de español en Málaga y luego ________ (recorrer) parte de Andalucía.

— (Nosotros) ________ (quedarse) en casa porque ________ (tener) visita de unos parientes sudamericanos a quienes les ________ (mostrar) la región.

— Y tú, ¿qué ________ (hacer) en verano?

— (Yo) ________ (tratar) de terminar mi tesis porque (yo) ________ (pasar) mi examen en otoño.

6. Discusión

a) El turismo masivo aumenta continuamente a escala mundial.

— ¿Cuáles son los pros y contras de este desarrollo?

— ¿Qué consecuencias ha tenido para los países del Tercer Mundo?

b) ¿Prefiere Ud. generalmente viajar en un tour o exponerse a la aventura de organizar su viaje al extranjero solo, con su familia o con un/a amigo/a? Dé ventajas y desventajas de ambas formas de viajar.

Transparencia 11
En la estación de servicio

I. INTRODUCCION

— ¿Qué importancia tiene el coche/carro en la sociedad actual?
— ¿Le gusta a usted conducir rápido? ¿Qué opina sobre los límites de velocidad?

II. INFORMACION CULTURAL

In the Spanish-speaking world, many service stations not only sell gasoline, but also perform auto maintenance and do repair work. Because gasoline is so expensive (generally more so than in the United States), economical vehicles such as mopeds, compact cars, and diesel cars are popular. Full-service and self-service options are available. Service stations are often small and rely heavily on regular customers to stay in business.

III. VOCABULARIO

la estación de servicio/Esp *gasolinera*/Méx, PR *gasolinería*/Col *bomba de gasolina,* gas station; *el taller mecánico,* repair shop; *el surtidor,* gas pump; *goma*/Am *manguera del surtidor,* gas pump hose; *bomba del aire,* air pump; *el medidor*/*el comprobador de la presión,* air pressure gauge; Am *extinguidor*/Esp *extintor,* extinguisher; Esp *tren*/*planta de lavado,* car wash; *repuestos,* spare parts

***los combustibles,* fuel**
un litro de gasolina/Arg, Ur *nafta*/Chile *bencina normal*/*súper*/*sin plomo,* a liter of gasoline/regular/super/unleaded gasoline; *gasóleo*/*el diesel,* diesel fuel; *el aceite,* oil; *petróleo,* oil

***el servicio,* service**
lavado, wash; *engrasado,* lubrication; *cambio de aceite,* oil change; *las reparaciones,* repairs; *el remolque,* towing

***los automotores,* motor vehicles**
bicicleta con motor/*el ciclomotor,* moped; *la moto(cicleta),* motorcycle; *el auto(móvil)*/*el coche*/AmC, Col, Méx, Perú *carro,* car, automobile; *el camión (cisterna),* truck (tanker truck); *grúa,* crane; *el remolque,* tow truck

***las partes del coche,* car parts**
carrocería, body; *el parachoques,* bumper, fender; *el guardabarros,* mudguards, mud flaps; *las luces/los faros,* lights/headlights; *el intermitente/la dirección,* indicator/directional; *el parabrisas,* windshield; *el limpiaparabrisas,* windshield wiper; *espejo,* mirror; *ventanillas,* windows; *asientos,* seats; *el motor,* engine; *el acelerador,* accelerator; *frenos,* brakes; Esp *cambio de marchas*/Am *barra de cambios,* gearshift; *el embrague,* clutch; *el volante,* steering wheel; *bujías,* spark plugs; *el carburador,* carburetor; *tubo de escape*/Méx *mofle,* exhaust pipe; Esp *ruedas, neumáticos*/Col *llantas,* wheels, tires; *depósito/el tanque de gasolina,* gas tank; *batería,* car battery; *el muelle,* spring; *bocina*/Esp *el claxon,* horn; *el amortiguador,* shock absorber; *el motor de arranque,* starter; *el silenciador,* muffler

***las herramientas,* tools**
gato, jack; *la llave (inglesa),* monkey wrench; *el destornillador*/Méx *el desarmador,* screwdriver; *los alicates,* pliers; *las tenazas,* pliers; *martillo,* hammer; *tubo,* pipe; *el alambre,* wire; *tuerca,* nut; *tornillo,* screw, bolt

echar gasolina, to put gas in the tank; *llenar el tanque de gasolina,* to fill the gas tank; *cambiar el aceite,* to change the oil; *controlar el aire de las llantas/ruedas,* to check the tire pressure; *inflar las ruedas/llantas,* inflate the tires; *revisar el coche,* to check the car; *cargar la batería,* to charge the battery; *comprar un repuesto,* to buy a spare part; *remolcar un coche,* to tow a car; *pedir información turística,* to ask for travel information; *comprar un mapa,* to buy a map; *preguntar por el camino,* to ask for directions; *perderse,* to get lost; *tomar/seguir una desviación,* to take a detour; *¿podría decirme por dónde se va a . . ./cuál es la carretera/autopista para . . . ?,* could you tell me how to get to . . ./which is the road to . . . ?; *¿puede cambiarme el aceite y lavarme el coche?,* could you change the oil and wash the car?; *¿podría revisarme los frenos/cargarme la batería?,* could you check the brakes/charge the battery?

IV. PREGUNTAS

1. Mire a la mujer que está en el centro. ¿Qué hace?
2. a) ¿Y el hombre que está de rodillas en primer plano?
   b) ¿Es todo lo que necesita el coche?
3. a) ¿Qué hay detrás de este coche?
   b) ¿Qué tiene en la cabeza y para qué sirve?
4. a) ¿Qué ve Ud. en la oficina?
   b) ¿Quién será la cajera?
   c) ¿Por qué?

5. ¿Qué otros servicios se prestan en esta estación?
6. a) ¿Cree Ud. que esta estación es de autoservicio? Dé razones.
   b) ¿Cuántas personas trabajan aquí?
7. a) ¿Dónde está el propietario de la estación?
   b) Describa lo que hace este hombre.
   c) ¿Qué objetos ve Ud. al lado de este mecánico?
8. a) ¿Qué ve Ud. al fondo, a la derecha?
   b) ¿Qué le habrá pasado al coche?
9. ¿Se consiguen aquí carburantes para todo tipo de vehículo?

V. ACTIVIDADES COMPLEMENTARIAS

1. Sistematizar

a) ¿Qué trabajos se hacen en una estación de servicio?
b) ¿Qué artículos se consiguen en el quiosco de la estación de servicio?
c) ¿Qué objetos hay que llevar siempre en el coche y por qué?
d) ¿Por qué es importante tener buenas llantas?
e) ¿Qué se puede hacer para economizar gasolina?

2. Repaso

Inés se presenta hoy al examen para obtener el permiso de conducir. Jorge le da los últimos consejos. Relacione.

1. Ten cuidado al frenar	en caso de que	(estar) nerviosa.
2. No arranques	antes de que	(tener) que esperar.
3. No te comportes	como si	el profesor te lo (decir).
4. No te pongas nerviosa	aunque	el semáforo se (poner) amarillo.
	cuando	
5. Detente	tan pronto como	(terminar) el examen.
6. Conserva la calma	en cuanto	no se te (apagar) el coche.
7. Da las gracias	para que	(estar) lista.
8. Llámame		el profesor te (criticar).

3. Conversación

Manifieste su opinión sobre las siguientes afirmaciones relativas al tráfico:

— La mujer al volante es un peligro público.

— Es una excelente idea dar el permiso de conducir a partir de los dieciséis años.

— A las personas mayores de 70 años debe quitárseles el permiso de conducir.
— Los conductores más agresivos son los jóvenes.
— El control técnico obligatorio no es necesario.
— Para reducir la contaminación del aire, se deberían subir los impuestos de la gasolina.

¿Se le ocurre otra idea?

Transparencia 12
En la playa

I. INTRODUCCION

— ¿Dónde prefiere usted pasar las vacaciones de verano? ¿Por qué en cada caso?

— Cuando usted pasa un día en la playa o a orillas de un lago, ¿se tiende simplemente al sol o desarrolla algunas actividades?

II. INFORMACION CULTURAL

Cancún and Huatulco are both beach resorts in Mexico developed solely for tourism. Cancún is a small island off the Yucatán Peninsula that has been given over entirely to hotels and condominiums for the visitors who flock to the island to enjoy its miles of beaches and visit its ancient ruins. Huatulco is a newer resort development. The area has nine bays, three of which are undergoing active construction of hotels and other facilities. In Huatulco, the Mexican government is making a serious effort to preserve the ecology and natural beauty of the region while opening it up for the profitable tourist industry.

III. VOCABULARIO

golfo, gulf; *bahía,* bay; *ensenada/cala,* cove; *cabo,* cape; *costa,* coast; *roca,* rock; *acantilado,* cliff; *playa,* beach; *playa naturalista/nudista,* nude beach; *zona de baño,* swimming area; *arena,* sand; *el mar,* sea; *agua salada,* salt water; *ola,* wave; *el oleaje,* surf; *marea alta/la pleamar,* high tide; *marea baja/la bajamar,* low tide; *puerto,* port; *embarcadero,* dock; *el muelle/el malecón,* dock; *el/la bañista,* bather, swimmer

***los accesorios,* accessories**
*el traje de baño/*Esp *el bañador,* bathing suit; *el bikini,* two-piece swimsuit; *sandalias playeras,* thongs; *visera,* visor; *toalla de playa,* beach towel; *las gafas/los lentes de sol,* sunglasses; *el parasol,* beach umbrella; *sombrilla,* sunshade, parasol; *colchoneta,* air mattress; *silla playera,* beach chair; *bolsa de playa,* beach bag

***la seguridad,* safety**
el/la socorrista, lifesaver; *el/la salvavidas,* lifeguard; *el/la vigilante de la playa,* lifeguard; *el (chaleco) salvavidas,* life jacket; *salvavidas,* life preserver; *el flotador de goma/corcho,* life raft; *salvamento,* rescue; *la torre de vigía,* watchtower; *bandera* Esp *verde/*Arg, Chile *azul,* green flag/blue

flag; *bandera roja,* red flag; Esp *bandera amarilla*/Arg, Chile *azul y roja,* yellow flag/blue and red flag; *boyas blancas,* white buoys

***la vida marina,* marine life**
alga, seaweed; *el pez,* fish; *los moluscos: ostras,* mollusks: oysters; *langosta,* lobster; *langostinos,* prawns; *mejillones,* mussels; *almejas,* clams; *cangrejo,* crab; *pulpo,* octopus; *gambas*/Am *camarones,* shrimp; *los calamares,* squid

***la salud,* health**
el protector solar, sunscreen; *el bronceador/la crema bronceadora,* suntan lotion; *quemadura de sol,* sunburn; *la insolación,* sunstroke; *la deshidratación,* dehydration; *agujero de ozono,* hole in the ozone layer

***las actividades y deportes,* activities and sports**
la natación, swimming; *buceo,* diving; *buceador/a,* skin diver; *tubo respiratorio,* snorkel; *aleta de buceo,* flipper; *el bote de vela/velero,* sailboat; *el bote de remo,* rowboat; *barca/lancha de motor/de inflar,* motorboat/rubber raft; *el timón,* rudder; *ancla,* anchor; *proa,* bow; *popa,* stern; *a babor/a estribor,* port/starboard; *tabla de surf,* surfboard; *el esquí acuático/náutico,* water-skiing; *pelota/el balón,* beach ball; *raquetas,* rackets; *palas,* paddles

***las instalaciones,* facilities**
los vestidores, dressing rooms; *lavabos/servicios*/Am *baños,* bathrooms; *duchas*/Méx *regaderas,* showers; *el bar de playa,* beach bar; *quiosco de la playa*/Esp *chiringuito,* refreshment stand

***la comida,* food**
pescado frito/asado, fried fish/grilled fish; *el filete de pescado,* fish fillet; *cazuela de mariscos,* seafood stew; *el cebiche,* cebiche; Esp *bocadillo*/Am *sándwich de jamón/queso,* ham sandwich/cheese sandwich; *helado,* ice cream; *cerveza,* beer; *agua de coco,* coconut milk; *limonada,* lemonade; *el cóctel/plato de frutas,* fruit cocktail

veranear/ir de veraneo, to spend the summer; *pasar las vacaciones,* to spend one's vacation; *ir a la playa,* to go to the beach; *meterse en el agua/al mar,* to go in the water/the ocean; *nadar,* to swim; *hacer castillos de arena,* to make sand castles; *enterrarse en la arena,* to bury oneself in the sand; *tomar sol,* to sunbathe; *broncearse,* to get a suntan; *quemarse,* to burn oneself; *sufrir una insolación/deshidratación,* to suffer from sunstroke/dehydration; *practicar la natación/el buceo/el esquí acuático,* to practice swimming/skin diving/water skiing; *pescar,* to fish; *jugar a la pelota,* to play ball; *comer/beber algo,* to eat/drink something; *tomar un refresco en el bar de la playa,* to have a refreshment at the beach bar; *salvar a alguien que se está ahogando,* to save someone who is drowning

IV. PREGUNTAS

1. ¿En qué estación del año tiene lugar la escena?
2. a) Mire a la mujer que está sentada en primer plano, a la derecha. ¿Qué puede decir de ella?
   b) ¿Está ella sola o con su familia?
3. A la izquierda del señor que está sentado debajo del parasol hay un chico con un carrito. ¿Quién es y qué hace?
4. Describa a la chica que está en primer plano, a la izquierda.
5. ¿Qué útiles/aparejos de pesca lleva el chico que va corriendo, en segundo plano, a la izquierda?
6. ¿Qué hace el hombre que está de pie a la orilla?
7. a) ¿Quién es el hombre que está sentado en la torre de vigía, qué tiene en la mano y para qué sirve?
   b) ¿Qué significa la sigla internacional S.O.S.?
8. ¿Qué deportes practican en esta playa algunos de los bañistas?
9. Describa con adverbios y preposiciones lo que se ve al fondo de la lámina. *(a la derecha . . . , en la barra . . . , . . .)*

V. ACTIVIDADES COMPLEMENTARIAS

1. Expresión oral

a) Diga qué hace en la playa

— la gente activa

— la gente pasiva

b) ¿Qué son las mareas?

c) ¿Qué significan los colores de las banderas en la playa?

d) ¿Qué marcan las boyas blancas que hay frecuentemente en las playas del Caribe?

e) ¿Qué tipos de peligros hay en las playas?

2. Represente la escena

Hacer una conquista; en España: ligar

Ud. se encuentra en la playa, en un café, en el cine . . . Trate de entablar conversación con el chico o la chica que está a su lado y de llevarla de tal manera que culmine en una cita para la tarde.

3. Trabajo escrito

Hoy llueve y Ud. aprovecha para escribir a un amigo una carta contándole lo que hizo ayer, cómo han sido sus vacaciones hasta ahora y cómo piensa pasar los días de vacaciones que le quedan. *(¡Atención a los tiempos!)*

4. Entrevista

El ayuntamiento de la localidad donde Ud. está veraneando ha organizado una encuesta para mejorar la situación del lugar y de sus playas. Simular por parejas el diálogo entre el/la encuestador/a y el/la veraneante:

— ¿Desde cuándo/Hace cuánto tiempo veranea Ud. aquí?

* ______________________________

— ¿Por qué viene Ud. a este lugar?

* ______________________________

— ¿Dónde se aloja? ¿Está bien su alojamiento?

* ______________________________

— ¿Qué es lo que más le agrada/desagrada de este lugar?

* ______________________________

— En los años que Ud. lleva viniendo aquí, ¿ha notado algún cambio en este lugar/esta playa?

* ______________________________

— En su opinión, ¿qué cosas han mejorado/empeorado?

* ______________________________

— ¿Qué propuestas haría Ud. al ayuntamiento?

* ______________________________

5. Modismos

Explique el significado de los siguientes modismos:

— El pez grande se come al chico.

— Aburrirse como una ostra.

— Ahogarse en un vaso de agua.

— Sudar la gota gorda.

6. Conversación

El bronceado está de moda, como lo muestran los anuncios de publicidad más diversos.

— ¿Por qué le gusta tanto a la gente broncearse?

— ¿Cuáles son los peligros de tomar el sol en exceso?

— ¿Existe esta moda en todos los países? (¿Cómo es, por ejemplo, la situación en los países asiáticos?)

— ¿Qué actitud se tenía antes frente a la tez morena?

7. Discusión

En los últimos años en algunos países europeos ha aumentado el número de campos nudistas.

— Pros y contras del nudismo.

Transparencia 13
En el mercado

I. INTRODUCCION

— ¿Ha visto Ud. un mercado latinoamericano? ¿Qué sabe de esos mercados?

II. INFORMACION CULTURAL

Open-air markets are a common sight in the Spanish-speaking world. Most towns and cities have weekly or biweekly markets where farmers from the region come to sell their produce and local merchants set out their wares. Sometimes markets will specialize in a certain type of commodity, such as food or crafts. Bargaining is an art practiced in many markets in the Hispanic world. Customers and merchants alike enjoy haggling with each other to reach an agreed price. However, in order to avoid giving offense, one should find out whether bargaining is customary before attempting it. The best way to do this is to observe how the natives buy their goods at the market.

III. VOCABULARIO

plaza del mercado, market square; *puesto,* stand; *feria,* fair; *vendedor/a,* salesperson; *verdulero/a,* produce merchant; *compra,* purchase; *venta,* sale

***las frutas,* fruits**
manzana, apple; *pera,* pear; *plátano/banana,* banana; *naranja,* orange; *mandarina,* mandarin orange; *pomelo/toronja,* grapefruit; *el limón,* lemon; *el melón,* melon; *sandía,* watermelon; *fresa,* strawberry; *piña,* pineapple; *el melocotón*/Am *durazno,* peach; *guayaba,* guava; *mango,* mango; *membrillo,* quince; *papaya,* papaya; *guanábana,* soursop; *chirimoya,* soursop; *tamarindo,* tamarind; *ciruela,* plum; *níspero,* medlar; *cereza,* cherry; *la nuez,* nut; *el cacahuete/el maní,* peanut; *avellana,* hazelnut; *la carne/pulpa de la fruta,* fruit pulp; *hueso,* pit; *corteza/la piel/cáscara,* skin, rind

***las verduras,* vegetables**
Am *papa*/Esp *patata,* potato; *cebolla,* onion; *ajo,* garlic; Esp *guisante*/Am *arveja*/Méx *chícharo,* pea; Esp *judías*/Am *el fríjol,* beans; Esp *judías verdes*/Am *habichuelas,* green beans; *habas,* broad beans; *garbanzos,* chick-peas; *calabaza,* pumpkin; *el calabacín,* squash; *alcachofa,* artichoke; *berenjena,* eggplant; *el maíz*/Am *choclo*/Méx *el elote,* corn; *lechuga,* lettuce; *rábano,* radish (plant); *rabanitos,* radishes; *el tomate*/Méx *jitomate,* tomato;

la coliflor, cauliflower; *el bróculi,* broccoli; *repollo,* cabbage; *apio,* celery; *pimiento*/Am *el pimentón,* pepper; *el picante*/Am *el ají*/Méx *el chile,* red chili pepper; *el aguacate*/Arg, Chile, Perú *palmate,* avocado; *espárrago,* asparagus; *seta*/Am *hongo,* mushroom

***el grano,* grains**
trigo, wheat; *el arroz,* rice; *el maíz,* corn; *cebada,* barley; *avena,* oats; *centeno,* rye

***las flores,* flowers**
rosa, rose; *el clavel,* carnation; *margarita,* daisy; *gladiolo,* gladiolus; *orquídea,* orchid; *crisantemo,* chrysanthemum; *lirio,* iris

***las hierbas,* herbs**
el perejil, parsley; *orégano,* oregano; *mejorana,* sweet marjoram; *tomillo,* thyme; *el laurel,* bay leaves; *albahaca,* basil; *salvia,* sage; *romero,* rosemary; *yerbabuena*/*menta,* mint; *manzanilla,* camomile

***los condimentos*/*las especias,* condiments/spices**
pimienta, pepper; *cominos,* cumin; *guindillas*/Am *ají,* red pepper; *el pimentón,* paprika; *el azafrán,* saffron; *canela,* cinnamon; *clavos,* cloves; *la nuez moscada,* nutmeg

***las carnes,* meat**
de vaca, beef; *de cerdo*/Am *de chancho,* pork; *de pollo,* chicken; *de gallina,* hen; *de pavo*/Méx *de guajolote,* turkey; *de cordero*/Méx *borrego,* lamb; *de venado,* venison; *de conejo,* rabbit; *de liebre,* hare

cadera, flank; *lomo,* back; *costilla,* ribs; *chuleta,* chop, cutlet; *el filete,* fillet; *pechuga,* breast; *muslo,* drumstick, leg; *ala,* wing; *menudencias,* giblets; *hígado,* liver; *los riñones,* kidneys; *lengua,* tongue; *sesos,* brains; Esp *callos*/Am *mondongo,* innards; *tripas,* tripe; *el jamón* Esp *serrano*/Am *crudo*/*ahumado*/*dulce o de York,* untreated ham/smoked ham/ sweet or York ham; *panceta*/*tocino,* bacon; *el chicharrón,* fried pig skins

los fiambres/*embutidos,* cold cuts; *longaniza,* sausage; *chorizo,* seasoned sausage; *el salchichón*/*el salame,* hard sausage, salami

***artículos artesanales,* handicraft items**
poncho, poncho; *el sarape,* serape; Esp *jersey*/Am *chompa*/*el suéter,* sweater; *chaleco,* jacket; *gorra (de lana de llama*/*alpaca),* llama wool hat/alpaca hat; *mantilla,* shawl; *zapatillas,* slippers; *manta de vicuña,* vicuña fur coat; *sandalias de cuero*/Esp *piel,* leather sandals; Esp *pendientes*/Am *aretes, aros,* earrings; *el collar de plata,* silver necklace

vasija de barro, earthenware pot; *olla,* pot; *cazuela,* casserole dish; *jarra,* jug, pitcher; *macetero,* flowerpot; *cesto,* basket; *canasto,* basket

preguntar el precio, to ask the price of an item; *regatear/pedir rebaja,* to haggle over (a price); *¿a cómo/a cuánto las naranjas?,* how much do the oranges cost?; *¿podría enseñarme/mostrarme aquella camisa?,* can you show me that shirt?; *muéstreme/enséñeme aquel poncho, por favor,* show me that poncho, please; *¿de qué es?,* what is it made of?; *¿cuánto cuesta?,* how much does it cost?; *démelo, por favor,* give it to me, please; *me lo llevo,* I'll wear it; *aquí tiene (el dinero),* here you are (money)

IV. PREGUNTAS

1. Observe la lámina y describa lo que ve.
2. ¿Podría decir qué se vende aquí?
3. ¿Dónde se encuentra el mercado?
4. ¿Quiénes van al mercado?
5. ¿Qué hace el hombre de la cámara fotográfica?
6. Describa al hombre que está en la esquina inferior derecha y diga qué hace.
7. Describa la escena del heladero.
8. a) ¿Dónde hay un puesto de carne y qué carnes se venden allí?
   b) ¿Y qué hay delante de este puesto?
9. En primer plano, a la derecha, hay un puesto de frutas y verduras. ¿Cuáles conoce?
10. Diga qué se vende en el puesto del fondo, a la izquierda de la iglesia.
11. ¿Qué ve Ud. en el suelo, a la derecha del cajón con ropa?
12. Fíjese en la mujer que lleva un niño a la espalda. ¿Cómo está vestida?

V. ACTIVIDADES COMPLEMENTARIAS

1. Mercados y ferias

________________(1) de los mercados semanales, en la ________________(2) de los pueblos andinos tiene lugar anualmente una feria que a ________________(3) se lleva a cabo el día del patrono de la

_______________(4). A ella _______________(5) mestizos, indios y blancos que vienen _______________(6) de muy lejos a comprar, vender e _______________(7) sus productos.

En estos mercados y ferias se compran y venden animales, frutas, verduras, carnes, vasijas de cerámica, herramientas, ropa, telas, artículos de papelería y otros _______________(8) útiles, yerbas _______________(9), preparados mágicos _______________(10) todo tipo de males, embriones de llama (para ser presentados como _______________(11) a la Pachamama cuando se construye una casa), así como las _______________(12) de artesanía más bellas y _______________(13).

La feria _______________(14) una gran importancia no sólo por su carácter comercial sino también por su función social, ya que _______________(15) la oportunidad de _______________(16) a ver a parientes y amigos _______________(17) en otros lugares, y de hacer nuevos amigos.

Los indios, con sus productos _______________(18) en el suelo, esperan _______________(19) a que llegue un posible _______________(20). Muchos de ellos no ofrecen más que dos o tres huevos, un montoncito de papas, zanahorias u otros tubérculos, un poco de ají o algunas frutas, _______________(21) para ellos tiene más importancia el contacto con otras personas que _______________(22) dinero.

_______________(23) los indios conocen el valor del dinero, el trueque _______________(24) entre ellos un tipo de transacción corriente; por ejemplo, no es _______________(25) que se cambie una olla por su contenido en grano.

a) Completar el texto con las palabras que están en el cuadro.

sigue siendo	raro	pacientemente	aunque	reviste	
objetos	mayoría	asisten	puesto que	medicinales	
volver	brinda	residentes	menudo	frecuentemente	
contra	puestos	además	ofrenda	localidad	cliente
obras	ganar	variadas	intercambiar		

b) Responder

— ¿Cuál es la diferencia entre un mercado y una feria?
— ¿Por qué es tan importante la feria para los pueblos andinos?
— ¿Qué tipos de transacciones se realizan allí?
— ¿Existe este tipo de mercado en su país? Explique las similitudes y diferencias.

c) Hacer una comparación entre el mercado y el supermercado, explicando las ventajas y desventajas de cada uno.

2. Juegos

Los números

a) Sumar, restar y multiplicar en cadena.
El profesor comienza planteando una operación (dos y siete); el estudiante interrogado da la respuesta (son nueve) y añade una cifra para que su compañera/o haga la operación. Se sigue jugando en cadena hasta que todos hayan participado.

El mismo ejercicio se puede hacer con otras operaciones:

resta: 57 menos 4 son 53
multiplicación: 3 por 2 son 6

e incluso división, planteando cada estudiante una nueva operación después de haber resuelto la que le ha tocado a él/ella. Por ejemplo:

20 entre/dividido por 5; el próximo dice: son cuatro, y propone una nueva división.

Otra posibilidad es multiplicar y restar en el mismo juego.

b) Bingo

1-20						
21-40						
41-60						
61-80						
81-100						

Dar a cada alumno una tabla de bingo como el modelo arriba. Los participantes deben rellenar los cuadros vacíos con números de su elección. El profesor, que tiene todos los números anotados por orden en una hoja, empieza a leerlos en forma desordenada. Tanto los alumnos como el profesor tachan los números que éste va diciendo. El primero que complete la tabla grita «Bingo» y empieza a leer en voz alta sus números para que el profesor y sus compañeros verifiquen si es correcto.

3. Represente la escena

a) Comprar algo en el mercado
Ud. ha visto un chaleco/una chompa que le ha gustado y quiere saber la talla, el material, el precio, si lo hay en otros colores . . .
La misma escena se puede representar comprando otros objetos de artesanía, flores, comestibles . . .

b) Queda a elección del profesor practicar el regateo o, quizás mejor, aprovechar la oportunidad para discutir hasta qué punto se debe pedir rebaja en el mercado de un país del Tercer Mundo.

4. Repaso

Completar las oraciones de relativo utilizando *que* con el artículo/*quien*, sin olvidar las preposiciones donde sean necesarios.

a) Ésta es la calle ________________ se va al mercado.

b) La plaza ________________ se toma el autobús para ir al mercado se llama Plaza de Bolívar.

c) Los puestos de la derecha son ________________ tienen el mejor surtido de frutas.

d) Ayer compré una guía turística ________________ te puedes orientar muy bien en los mercados andinos.

e) Los turistas de los países ricos son frecuentemente ________________ más regatean al comprar.

f) Ésta es la vendedora ________________ le compramos ayer el suéter/ jersey.

g) Aquí tengo la cazuela ________________ pagué ayer 500 pesos.

Transparencia 14
En Correos y Teléfonos

I. INTRODUCCION

— ¿Qué asociaciones le sugiere la palabra «correos»?

— ¿Usted escribe con frecuencia a sus amigos, o prefiere llamarlos de vez en cuando por teléfono?

II. INFORMACION CULTURAL

In Spain, the post office offers a wide array of services. In addition to mailing letters and packages and buying stamps, one can make long-distance or international calls from the *cabinas telefónicas* (telephone booths) in the post office. A postal employee places the call and charges a price based on the length of the call. This service is especially practical for travelers who might otherwise have to place an expensive call from a public telephone booth and pay for it with change. Another service offered by the post office is the *Caja postal* which offers savings accounts like those offered by banks.

III. VOCABULARIO

***en Correos*, at the post office**
correo ordinario/aéreo/nacional/internacional, regular mail/air mail/national/international mail; *ventanilla*/Esp *taquilla,* service window; *el buzón,* mailbox; *recogida,* mail collection; *apartado*/Am *casilla,* post-office box; *lista de correos,* general delivery; *empleado de correos,* post-office employee; *cartero/a,* mail carrier; *reparto,* delivery; *correspondencia,* letters; Esp *carta certificada*/Am *registrada,* registered letter; Esp *urgente/exprés*/Am *entrega inmediata,* urgent/express/immediate delivery; *la tarjeta postal,* postcard; *el/la remitente,* sender; *destinatario,* destination; *señas/la dirección,* address; *código postal,* zip code; Esp *sello*/Am *estampilla*/Méx *el timbre,* stamp; *impreso,* printed paper; *el paquete postal,* postal package; *ligero*/Am *liviano,* light; *pesado,* heavy; *caja,* box; *envío contra reembolso,* cash on delivery; *la declaración de aduana,* customs declaration; *giro postal/telegráfico,* postal/telegram money order; *el (tele)fax,* fax

poner/enviar/mandar una carta/un telegrama, to send a letter/a telegram; *recibir una carta/un telegrama,* to receive a letter/telegram; *sellar/franquear/poner sellos a una carta,* to stamp a letter; *pegar los sellos/la carta,* to stamp/seal the letter; *responder/contestar a vuelta de correo,* to answer by return mail; *echar la carta en/al buzón,* to put the letter in the mailbox; *coleccionar sellos,* to collect stamps

***en Teléfonos,* at the telephone company**
(La) Telefónica, the telephone company; *cabina telefónica,* phone booth; *teléfono,* telephone; *el/la telefonista,* telephone operator; *el auricular,* receiver; *disco,* telephone dial; *teclas,* telephone pushbuttons; *llamada*/Esp *conferencia: a través de la operadora/automática/de cobro revertido/ internacional/interurbana/urbana,* operator assisted call/direct call/collect call/international/intercity/local call; *telefonazo,* telephone call; *la señal de marcar,* dial tone; *tono agudo,* high-pitched tone; *tono de marcar,* dial tone; *la unidad*/Esp *paso,* unit; *la central telefónica,* telephone exchange; Esp *guía de teléfonos*/Méx *libro telefónico,* phone book; *prefijo,* area code

llamar (por teléfono)/telefonear/Méx *hablar a alguien,* to call someone on the telephone; *pedir una conferencia/llamada,* to request a phone call; *anular una llamada,* to cancel a phone call; Esp *estar comunicando*/Am *ocupada (la línea),* (the line) is busy; *no lograr comunicarse,* to not get a connection; *descolgar el auricular,* to pick up the receiver; *marcar el número,* to dial the phone number; *equivocarse de número,* to get a wrong number; *¡no cuelgue!,* don't hang up!; *¿con quién desea hablar?,* whom do you wish to speak to?; *¿con quién hablo?,* who am I speaking to?; *¿de parte de quién?,* who is calling?; Esp *póngame con*/Am *comuníqueme con,* connect me with; *se ha cortado la comunicación,* we've been disconnected

IV. PREGUNTAS

1. ¿Qué desea la señora que está en primer plano, en el centro?
2. Y la chica de la izquierda parece estar muy contenta. ¿Por qué?
3. a) ¿Qué está haciendo el hombre de la izquierda, al fondo?
   b) ¿Por qué los telegramas son generalmente muy cortos?
4. ¿Cómo se explica Ud. la expresión alegre del chico que está ante la ventanilla de PAQUETES POSTALES?
5. a) El chico de pantalón corto, con la cámara colgada al cuello, parece estar decepcionado. ¿Por qué?
   b) ¿De quién estará esperando carta?
6. ¿Qué está haciendo el hombre de la pipa?
7. ¿Por qué parece estar enfadado el chico de la cabina 2?
8. ¿Hay otra cabina? ¿Quién está llamando desde allí y qué puede decir Ud. de la expresión de su rostro?

V. ACTIVIDADES COMPLEMENTARIAS

1. Expresiones

a) ¿Qué dice Ud.

— cuando el destinatario de la carta que Ud. quiere enviar colecciona sellos/estampillas?

— si teme que la carta se pierda?

— cuando va a buscar una carta a la lista de correos?

b) ¿Cómo se encabeza/termina

— una carta comercial?

— una carta formal?

— una carta familiar?

2. Represente la escena

Hacer las siguientes llamadas telefónicas por parejas:

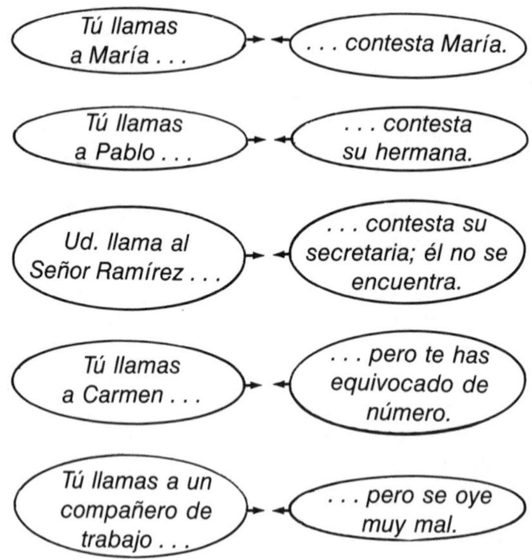

a) Ud. quiere hablar a una persona que está en casa:

— ¡Dígame!

— ¿Está Laura?

— Sí, sí está.

— ¡Póngame/Comuníqueme con ella, por favor!

b) Ud. quiere hablar con una persona que no está en casa. Como no entienden su nombre Ud. lo deletrea:

— ¡Dígame!
— ¿Está Laura, por favor?
— No, no está. ¿Quiere dejarle un recado?
— Dígale, por favor, que la llama Dirk Wagner.
— ¿Quién? ¿Cómo?
— Le deletreo mi nombre.

c) Si Ud. se ha equivocado:

— ¡Dígame!
— ¿Está Laura?
— ¿Quién? ¿Cómo dice?
— Laura Muñoz, por favor.
— No, (está) equivocado.
— ¿No es el número 541793?
— No, aquí es el 541794.
— Perdone (la equivocación).

d) En España se contesta al teléfono con «¡Dígame!», «¡Diga!»
En Colombia: «¡A ver!»
En México: «¡Bueno!»
En Argentina: «¡Hola!»

e) Ud. está esperando un giro postal de sus padres y va al correo a buscarlo. El empleado le pide su carnet de identidad, mira y dice que aún no ha llegado. Ud. responde que sus padres lo enviaron hace una semana. El empleado vuelve a buscar y lo encuentra. Había una confusión: nombre mal escrito, comprobante bajo una letra que no corresponde . . .

f) Ud. ha comprado muchos libros en México y quiere mandarlos por barco. Averigüe la forma más económica de hacerlo *(una caja con todos los libros o varios paquetes pequeños hasta un peso determinado, tarifa reducida para impresos, conveniencia de mandarlos registrados . . .)*

3. Trabajo escrito

a) Escriba un telegrama:

— avisando a sus amigos que no llega el día convenido
— felicitando a un/a amigo/a por su cumpleaños/boda
— dando el pésame por la muerte de alguien
— pidiendo un libro que necesita urgentemente

b) Ud. estuvo pasando vacaciones con una familia peruana que la/lo atendió muy bien. Escríbales al regreso una carta refiriéndose a:

— el vuelo de regreso
— los días pasados allí
— la amabilidad de sus anfitriones

— la simpatía que siente por ellos
— su deseo de mantener el contacto y de volver a verlos

Escriba también la dirección en el sobre. *Por ejemplo:*

Sr. Don
Jorge Melgar y Sra.
2 de Mayo, 325
Lima 27 (San Isidro)
Perú

4. Repaso

Poner la preposición correcta:

— ¿Viaja Ud. ______________ tren o ______________ avión?

— Viajo ______________ el tren ______________ las ocho.

— ¿Quiere Ud. mandar el paquete ______________ avión o ______________ barco?

— El paquete, por favor, ______________ barco, pero las postales ______________ avión.

— ¿Cuándo cree Ud. que llegará el paquete ______________ Alemania?

— Creo que ______________ unas seis semanas.

— ¿Ya está listo mi pasaje ______________ Madrid?

— No, todavía no. Se lo mandaré ______________ correo.

— ¿______________ qué hora pasa generalmente el cartero ______________ aquí?

— Pasa aproximadamente ______________ las once ______________ la mañana.

5. Conversación

a) El género epistolar ha caído en desuso. Hoy apenas se escriben cartas, o sólo con informaciones concretas.

¿A qué cree Ud. que se debe este desarrollo?

b) Uno de los objetos favoritos del vandalismo típico de las sociedades industriales lo constituyen los teléfonos públicos.

— ¿Sucede esto en su país?

— ¿Cuáles son las causas?

— ¿Qué consecuencias funestas puede tener?

— ¿Qué importancia tiene el teléfono en el mundo actual?

Transparencia 15: En una finca

I. INTRODUCCION

— ¿Usted ya ha pasado alguna vez las vacaciones en una finca? ¿Qué fue lo que más le gustó?

— ¿La agricultura y la ganadería tienen importancia en su país, o vive usted en un país dedicado especialmente a la industria?

II. INFORMACION CULTURAL

Latin America, with its many climates and varied topography, exports a great number of diverse agricultural products. In Argentina, cattle are an important source of income. In the *Pampas* of Argentina, *Gauchos* (cowboys) still raise cattle on large ranches. In Venezuela and Colombia, coffee is the dominant crop. Coffee is also grown in Guatemala, which numbers sugar, bananas, and cotton among its other major crops. Grapes are an important crop in Chile, and some Chilean wines have developed international reputations. In general, the agricultural regions of these countries are poorer than the urban areas. Every year, large numbers of young people and families flock to the cities in search of work and a better standard of living. This creates unemployment problems in the cities and labor shortages on the farms, one of the most difficult challenges facing the economies of Latin America today.

III. VOCABULARIO

finca/granja/hacienda/Méx *rancho*/Arg, Chile, Ur *estancia,* ranch; *campo*/Méx *parcela,* field; *tierra fértil/árida,* fertile land/dry land; *agricultura,* agriculture; *cultivo,* farming; *siembra,* sowing; *cosecha,* crop; *ganadería,* cattle raising; *cría de animales,* animal raising; *industria agropecuaria,* farming industry; *los insecticidas,* insecticides; *abono,* fertilizer

***las dependencias,* outbuildings**
establo/Esp *cuadra,* stable; *granero,* barn; *chiquero,* pigsty; *gallinero,* henhouse; *cobertizo*/Am *el galpón,* shed; *el corral,* corral; *potrero,* corral; *colmena,* beehive

***los habitantes,* inhabitants**
campesino/a/el/la labrador/a, peasant/farmer; *el/la agricultor/a,* farmer; *ganadero/a*/Am *hacendado/a*/Méx *ranchero/a,* stock farmer; *propietario/a,*

property owner; *arrendatario/a,* tenant farmer; *el/la administrador/a,* manager; *el/la peón/a/jornalero/a,* day laborer

***los animales domésticos,* domesticated animals**
gato, cat; *perro,* dog; *pájaro,* bird; *ganado vacuno/bovino,* cattle: *vaca,* cow; *ternero,* calf; *novillo,* young bull; *toro,* bull; *buey,* ox; *ganado ovino/lanar,* sheep: *ovejas,* sheep; *borrego/cordero,* lamb; *carnero,* ram; *ganado caballar,* horses: *caballo,* horse; *yegua,* mare; *potro,* colt; *burro/asno,* burro/ass; *mula,* mule; *ganado cabrío,* goats: *cabra,* goat; *macho cabrío,* buck; *chivo,* kid; *cabrito,* kid; *ganado porcino,* swine: *cerdo/puerco/marrano/*Am *chancho,* pig; *llama,* llama; *vicuña,* vicuña; *conejo,* rabbit; *la liebre,* hare; *conejillo de Indias,* guinea pig; *las aves de corral,* domesticated birds: *gallina,* hen; *gallo,* rooster; *pollo,* chicken; *pollito,* chick; *pato,* duck; *pavo/* Méx *el guajolote,* turkey; *ganso,* goose

***los productos de la tierra,* produce, crops**
semilla, seed; *planta,* plant; *el árbol,* tree; *arbusto,* shrub, bush; *la raíz,* root; *tallo,* stem, stalk; *hoja,* leaf; *la flor,* flower; *fruto,* fruit; *hierba/*Am *pasto/*Méx *pastura,* grass; *heno,* hay; *paja,* straw; *los forrajes,* fodder; *las legumbres,* vegetables; *hortalizas,* vegetables; *grano,* grain; *el maíz,* corn; Esp *patata/*Am *papa,* potato; *el arroz,* rice; *el fríjol,* bean; *trigo,* wheat; *cebada,* barley; *centeno,* rye; *caña de azúcar,* sugar cane; *calabaza,* pumpkin; *el tomate,* tomato; *pepino,* cucumber; *zanahoria,* carrot; *cacao,* cocoa; *el café,* coffee; *tabaco,* tobacco; *los árboles frutales,* fruit trees

***los instrumentos de labranza,* farming tools**
azada, hoe; *el azadón,* hoe; *rastrillo,* rake; *pala,* shovel; *arado,* plough; *guadaña/segadora,* scythe; *la hoz,* sickle; *hacha,* axe; *carretilla,* wheelbarrow

***la maquinaria agrícola,* farming machinery**
ordeñadora, milking machine; *el tractor,* tractor; *cosechadora,* combine harvester; *segadora,* mower, reaper

***las actividades agropecuarias,* farming activities**
labrar/cultivar la tierra, cultivate the land; *abonar el campo,* fertilize the field; *sembrar,* to sow; *cosechar,* to harvest; *recoger la cosecha,* to harvest the crops; *limpiar la cuadra/el establo,* to clean the stable; *ordeñar las vacas,* to milk the cows; *esquilar las ovejas,* to shear the sheep; *el veterinario trata/vacuna/cura a los animales,* the veterinarian treats/ vaccinates/cures animals

IV. PREGUNTAS

1. Mire los animales de la lámina. ¿De cuáles puede decir el nombre?
2. ¿Quiénes trabajan en la finca?

3. ¿Qué herramientas/instrumentos de labranza se ven en la lámina?
4. a) ¿Podría describir la escena del trasfondo?
   b) ¿Sabe Ud. para qué se ponen los espantapájaros?
5. ¿Dónde están los diversos animales?
6. ¿Qué hace la chica que está sentada junto a la vaca?
7. Describa al hombre de la carretilla.
8. a) ¿Podría describir la escena en la jaula de los conejos?
   b) ¿Por qué se crían conejos allí?
9. ¿Qué lleva en la mano la mujer que está a la derecha, junto al cerdo?
10. ¿Qué máquinas se ven en la lámina y para qué son?
11. a) Considerando las labores que se realizan en la lámina, ¿tiene lugar la escena: por la mañana temprano, a mediodía, por la tarde o por la noche?
    b) ¿Por qué?
12. ¿Qué tipo de finca parece ser?

V. ACTIVIDADES COMPLEMENTARIAS

1. Expresión oral

a) ¿Qué sabe Ud. sobre el trabajo diario de un/a campesino/a de su país en las diferentes estaciones del año?
b) ¿Qué influencia tienen los cambios climáticos en la vida del campesino?
c) ¿Sabe Ud. qué animales y plantas fueron llevados por los conquistadores de América a Europa, y en qué se utiliza cada uno de ellos?

2. Reconstrucción de un cuento

Ordene las frases siguientes, si quiere enterarse del cuento.

— Érase una vez un rey de un país muy lejano a quien le gustaban mucho las cerezas, tanto que no podían faltar en ninguna de sus comidas.
— Enfurecido, el rey ordenó entonces que se exterminase a todos los pájaros del país.
— Pero la alegría que esto produjo al rey no fue de larga duración. Los pájaros de los países vecinos se enteraron de que en ese reino había tantas cerezas y cayeron como nubes de langostas sobre ellas.
— Para que esto no volviera a pasar, el rey ordenó que todos los agricultores sembrasen cerezos en todos los campos apropiados de su reino.
— Otra vez faltaron las cerezas.

— El cumplimiento de esta orden tuvo unas consecuencias terribles: pronto comenzaron a surgir legiones de gusanos e insectos que arrasaron todos los campos del país.
— El rey, avergonzado de la falta que había cometido, hizo traer pájaros de otros países.
— La gente padecía hambre porque no había cereales, ni legumbres, ni patatas, ni hortalizas, y el ganado se moría por falta de forraje. El rey, más enfurecido que antes, pidió consejo a los sabios del reino.
— Los pájaros declararon la guerra a los gusanos e insectos, y pronto los campos volvieron a cubrirse de verdura y los cerezos de frutos rojos.
— Un día, al sentarse a la mesa, vio que faltaba su fruta predilecta. Lo mismo sucedió al día siguiente y al tercer día.
— La orden fue cumplida y pronto empezaron a brotar por todas partes cerezos que se llenaron de flores y frutos.
— En el futuro el rey se contentó con las cerezas que los pájaros le dejaban en las ramas, y su pueblo volvió a tener pan, legumbres y hortalizas que comer.
— Estos le dijeron que sólo los pájaros podrían exterminar a los gusanos e insectos.

— ¿Qué título le pondría al cuento y por qué?
— ¿Cuál es la moraleja del cuento?
— ¿Le parece que su contenido tiene actualidad?

3. Juego

«Encontrar al compañero inseparable.»

Material: Preparar dos tipos de tarjetas: las unas con el nombre de un animal o de una planta, las otras con el nombre del producto que de ellos se obtiene. *Por ejemplo:*

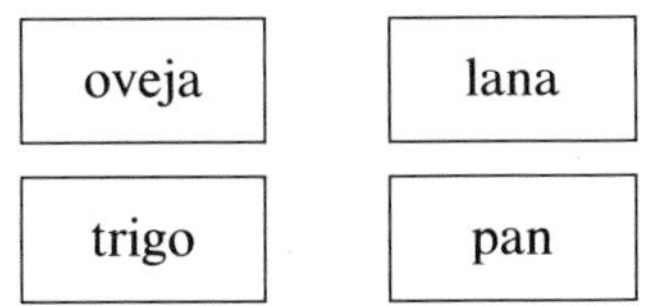

Otras posibilidades:

vaca	*leche*
cerdo	*carne*
maíz	*tortillas*
tabaco	*cigarrillos*
caña	*azúcar, etc.*

Reglas: Cada uno de los alumnos recibe una tarjeta al azar y se da a la búsqueda de su complemento. Una vez encontrado el compañero, cada pareja prepara, por escrito, una pequeña composición sobre su naturaleza, función y uso.

Por ejemplo:

[trigo] [pan] · *Somos el trigo y el pan. Alimentamos a los seres humanos desde tiempos inmemoriales. Se nos encuentra tanto en mesas humildes como en banquetes. Para mantener la línea hay que renunciar a nosotros.*

Una vez terminada la composición se lee al pleno.

Variante: Las parejas leen su composición sin delatar su identidad. Los otros deben adivinarla.

4. Modismos

Qué significan los siguientes modismos y refranes:

a) Tener un hambre canina.
b) Perro que ladra no muerde.
c) Meter gato por liebre.
d) A caballo regalado no le mires el diente.
e) Un grano no hace granero, pero ayuda a su compañero.

5. Formar familias de palabras

Según el nivel del grupo, este ejercicio puede hacerse de forma simple, buscando sólo un derivado, o tratando de encontrar varias palabras y algo más rebuscadas.

— agrícola — campo — grano — vegetal — sembrar — hierba — carne — leche

Transparencia 16: Las culturas latinoamericanas

I. INTRODUCCION

— ¿Qué asociaciones despierta en usted el concepto Latinoamérica?

— ¿Ha estado usted alguna vez en América Latina?

II. INFORMACION CULTURAL

The diversity among the cultures of Latin America is so great that it would be impossible to describe them all in one brief paragraph. Each culture is unique, blending the influences of Indian traditions, the Spanish *conquistadores,* the struggles for independence of the nineteenth century, and contact with the cultures of the world in the twentieth century. Each has its own folklore and traditions, and its own distinct contemporary ways of life. Every year, millions of tourists visit the ruins left by the great pre-Columbian civilizations, but they often pass up opportunities to explore the contemporary cultures of the countries they visit. This is a mistake, for they deny themselves the chance to experience the vital, dynamic cultures linked by the common bond of the Spanish language.

III. VOCABULARIO

plaza, town square; *la pirámide,* pyramid; *grada/peldaño,* step; *edificio moderno,* modern building; *iglesia,* church; *ruina,* ruin; *el capital,* capital; *muro,* wall; *piedra,* stone

***la historia,* history**

la población indígena, the indigenous population; *indios,* Indians; *aztecas,* Aztecs; *mayas,* Mayans; *incas,* Incas; *el descubridor,* discoverer; *descubrimiento,* discovery; *el conquistador,* conqueror; *conquista,* conquest; *el colonizador*, colonist; *colonia,* colony; *Guerra de la Independencia,* War for Independence; *república,* republic; *el libertador,* liberator; *dependencia económica/política/cultural,* economic/political/cultural dependence; *Hispanoamérica/Iberoamérica (la colonizada por España y Portugal),* Spanish America (colonized by Spain and Portugal); *Latinoamérica/América Latina (actualmente los países al sur del Río Grande),* Latin America (today the countries south of the Rio Grande); *los antepasados,* ancestors; *el virrey,* viceroy; *el cacique,* Indian chief; *la tribu,* tribe; *la civilización precolombina,* pre-Columbian civilization; *esclavos,* slaves; *cultura hispánica,* Hispanic culture; *(quinto)centenario,* the (quinque)centennial; *la celebración,* celebration; *la cooperación,* cooperation

descubrir, to discover; *conquistar,* to conquer; *colonizar,* to colonize; *aculturizar,* to acculturate; *transculturizar,* to transplant culture; *independizar,* to make independent; *depender,* to depend; *democratizar,* to democratize

***las razas,* races**
blanco: europeos y criollos (hijos de españoles nacidos en América), white: Europeans and Creoles (descendants of Spaniards born in America); *indio: raza autóctona,* Indian: autochthonous race; *negro: esclavos de origen africano,* black: slaves of African origin; *mestizo: hijo de blanco e indio (en los países andinos llamado también "cholo"),* mestizo: descendant of white and Indian mix (in the Andes they are also called "cholo"—"half-breed"); *mulato: hijo de blanco y negro,* mulatto: descendant of white and black mix; *zambo: hijo de indio y negro,* zambo: descendant of Indian and black mix

***la iglesia,* church**
los dioses, the Gods; *el sacrificio humano,* human sacrifice; *el templo,* temple; *la religión,* religion; *iglesia católica/protestante,* Catholic/Protestant church; *el sacerdote,* priest; *el cura,* priest; *el fraile,* friar, monk; *monja,* nun; *el pastor/ministro,* pastor/minister; *monasterio,* monastery; *convento,* convent; *oficios religiosos,* religious services; *parroquia,* parish; *el altar,* altar; *el portal,* nativity scene; *los fieles,* the faithful

celebrar misa, to celebrate mass; *asistir a los oficios religiosos,* to attend religious services; *visitar una iglesia,* to visit a church; *confesarse,* to confess; *comulgar,* to receive Holy Communion; *persignarse,* to make the sign of the cross; *adorar a,* to worship

IV. PREGUNTAS

1. ¿Qué le sugieren los relieves del zócalo en el que parece estar apoyada la india que está vendiendo frutas?
2. Al fondo hay una iglesia. ¿Podría decir algo sobre su estilo arquitectónico?
3. Describa a las personas que se ven en primer plano.
4. Esta lámina está inspirada en la Plaza de las Tres Culturas, situada en Tlatelolco, Ciudad de México. ¿A qué cree Ud. que se debe su nombre?
5. ¿Qué sabe Ud. de la historia de América Latina?

V. ACTIVIDADES COMPLEMENTARIAS

1. La contribución negra

Conversar por parejas sobre los siguientes temas:

— ¿En qué países de América se nota más fuertemente la influencia negra?

— ¿Qué aspectos revelan más claramente esta presencia?

— ¿La posición social y económica del negro coincide en los países americanos con la importancia de su legado cultural?

— ¿Qué campo de la cultura es impensable hoy en día, en los países industrializados, sin la influencia negra?

Al final se puede sistematizar la discusión en el pleno con las colaboraciones de las diferentes parejas.

Se deja a discreción del profesor repartir, la clase anterior, un texto sobre este tema.

2. Trabajo escrito

Un periódico local le ha encargado la redacción de un pequeño artículo con motivo del V centenario del descubrimiento de América, a celebrarse en 1992. Considerando que los lectores disponen de pocos conocimientos de la historia de América Latina, ofrézcales una somera reseña de la misma.

3. Discusión

Para conmemorar el V centenario del descubrimiento de América se están preparando diferentes festividades.

— Si Ud. fuese latinoamericano/a, ¿participaría en ellas?

— Si fuese español, ¿qué actitud asumiría?

— Desde una perspectiva no hispano-americana, ¿qué podría decirse sobre esta celebración?

Situaciones de todos los días: Clave

Sugerencias para las preguntas y soluciones de los ejercicios

Transparencia 1: En el aeropuerto

IV. PREGUNTAS

1. a) Pistas de aterrizaje y despegue, torre de control, aviones.
   b) Los mostradores de dos compañías aéreas, una española y otra mexicana y el de una empresa que alquila coches.
2. a) Al chequear/facturar su equipaje nota que lleva sobrepeso.
   b) 20 kilos.
3. a) Compañía aérea, número de vuelo, lugar de destino, fecha y hora de salida y llegada.
   b) Puede comprarlo en el aeropuerto y si el avión está completo/lleno, apuntarse en la lista de espera.
4. a) Poniendo un sello en el pasaporte de un viajero.
   b) Cacheando/Controlando a un viajero.
5. a) Sospecha que lleva contrabando.
   b) Le decomisan el artículo o tiene que pagar una multa.
6. a) Un ramo de flores, seguramente para ella.
   b) Tal vez su novia porque se saludan muy cariñosamente.
7. Lleva retraso/Está retrasado, le/lo va a dejar el avión.
8. El coche da mayor libertad de movimiento, permite ahorrar tiempo.
9. Al hombre que está saliendo a tomar el avión.
10. Ocuparse de los pasajeros, servir las comidas y bebidas, repartir periódicos y revistas, dar las instrucciones necesarias, atender a quien se maree o se sienta mal.

11. a) Quedarse sentado, poner el respaldo/espaldar derecho, abrocharse el cinturón de seguridad y dejar de fumar.
    b) Los accidentes aéreos suceden con frecuencia durante el despegue y el aterrizaje.

V. ACTIVIDADES COMPLEMENTARIAS

6. Repaso

están; hay; hay que; tiene que; hay; están; hay; hay; hay; están; tienen que.

Transparencia 2: En la estación de ferrocarril

IV. PREGUNTAS

1. a) Es una estación de ferrocarril.
   b) Grande porque hay bastante gente, consignas . . .
   c) De mucho movimiento, hay mucha gente allí.
2. a) Porque el empleado es muy lento y él teme perder el tren.
   b) «El empleado podría darse un poco de prisa». «Si el empleado se apresurase, no perdería el tren.»
3. No, el tren ya está arrancando.
4. a) Despidiendo a alguien que está agitando su pañuelo desde el tren.
   b) Por miedo a que éste se acerque demasiado al borde y se caiga.
5. a) Está metiendo su equipaje en una consigna automática.
   b) Seguramente su tren no sale todavía y él quiere aprovechar para dar un paseo por la ciudad.
6. a) Empujando un carrito con el equipaje.
   b) Porque a los niños les gusta mucho andar en «coche».
7. La señora le está dando propina por haberle llevado éste las maletas.
8. Qué dirección seguir para coger/tomar el metro, un autobús, un taxi o ir al restaurante.
9. Quizás dónde está el albergue juvenil, por la mochila y el saco de dormir que lleva a la espalda.

V. ACTIVIDADES COMPLEMENTARIAS

2. Definiciones y descripciones

a) El tren ordinario es lento; el rápido es más ligero; el expreso es el que más corre.

b) Al que va parando en todos los pueblos.

c) El Eurailpass es un billete de tren con el que los jóvenes americanos pueden viajar por toda Europa.

d) Se mete la maleta en la casilla, se introduce la moneda correspondiente, se cierra la puerta y se cierra con llave. ¡Cuidado! ¡No se vaya a olvidar de sacar la llave!

5. Repaso

vas; voy; ir; voy; vas/vienes; salir/ir; saldré; va/viene; ir; volver; volver; voy; voy.

Transparencia 3: En la calle Primera parte

IV. PREGUNTAS

1. a) Una plaza. (La «Plaza de Armas».)
   b) «Plaza de Armas», presencia indígena.
   c) Porque durante la Colonia era el lugar donde se realizaban los ejercicios militares.
   d) La «Plaza Mayor».
2. No, está destinada a la circulación de coches.
3. Uno está regulando el tráfico porque aquí no hay semáforo, y el otro está poniendo una multa.
4. a) Junto a la panadería.
   b) ¿Este autobús va a/pasa por la estación?
   c) ¿Cuántas paradas hay hasta la estación? ¿Puede decirme dónde tengo que bajar?

5. Cogiendo/Tomando un taxi para ir al aeropuerto o a la estación.
6. a) No, por la cámara fotográfica y el mapa de la ciudad.
   b) Porque en los países de habla hispana hay mucho desempleo; numerosas personas tienen que ganarse la vida, por ejemplo, de lustrabotas y vendedores ambulantes.
7. a) Tal vez con su amiga, por la expresión alegre de la cara.
   b) El chico lleva mucho rato hablando y él quizás tenga que hacer una llamada urgente.
8. a) A la derecha, delante del banco.
   b) La mujer le muestra el reloj al guardia protestando por la multa que le ha puesto.
9. Dónde ha comprado la otra algo de lo que tiene en el cesto.
10. Siguiendo por la calle de San Francisco todo derecho, como indica la flecha que hay encima del letrero del banco.
11. a) Francisco.
    b) Era de Trujillo, Cáceres, y fue el conquistador del Perú; acompañó a Balboa en el descubrimiento del mar del Sur—hoy Océano Pacífico; con su propia expedición desembarcó en el Perú, en 1532, y se dirigió a Cajamarca donde tomó prisionero al Inca Atahualpa, a quien hizo ejecutar no obstante haberle pagado éste el rescate exigido en oro.

V. ACTIVIDADES COMPLEMENTARIAS

5. Repaso

nada; algo; nada; nadie; algo; alguien; nada; algo; nada.

Segunda parte

II. RELACIONE

1 G; 2 F; 3 J; 4 K; 5 B; 6 C; 7 I; 8 A; 9 D; 10 L; 11 E; 12 H.

Transparencia 4: Un accidente de circulación

IV. PREGUNTAS

1. Un choque entre un coche y una moto.
2. A prestar primeros auxilios y a llevar al herido a la clínica.
3. Está tendido en el suelo porque parece estar lesionado, con una pierna fracturada.
4. Examina/Reconoce al herido y le pone una venda en la pierna.
5. Está sacando la camilla para transportar al herido.
6. Le pide sus datos personales: nombre, edad, profesión, domicilio; además, que le muestre su permiso de conducir y la matrícula del coche.
7. En recuerdo del fundador de la ciudad.

V. ACTIVIDADES COMPLEMENTARIAS

3. Repaso

Haya visto/viera; fuera/haya ido; haya traído/trajera; parara/haya parado; no haya frenado/frenara; haya tenido/tuviera.

Transparencia 5: En la cafetería

IV. PREGUNTAS

1. a) En una cafetería, una fuente de sodas, un bar.
   b) Parece un típico bar español por el letrero de azulejos, el cartel de la corrida, el diario «El País».
2. A la derecha hay una chica comiendo churros; a la izquierda . . .
3. Hay jóvenes y viejos, gente de todas las edades, hombres y mujeres.
4. Juega(n) a la baraja, fuma(n), come(n) helado, lee(n) el periódico, bebe(n) un refresco, ve(n) la televisión . . .

5. Lleva un corte de pelo muy a la moda; está comiendo un bocadillo/un sándwich y escuchando una radio portátil.
6. Parecen estudiantes y conversan; el uno está ofreciendo un cigarrillo al otro.
7. a) Juegan a las cartas (los naipes).
   b) No, tal vez sean obreros.
8. No, su hijo está viendo jugar a las cartas en la mesa de al lado y comiéndose un polo/helado.
9. Lista de precios, el primer billete ganado en este bar (enmarcado), salchichón, chorizo, salchicha, longaniza, el bote de la propina (nótese la telaraña), botellas de vino y licores, un ventilador, un cartel de una corrida.
10. Parece que quiere llamar la atención al chico del jersey verde.
11. Para evitar que se la roben.
12. a) Unos 10.
    b) Está sacando caramelos.

V. ACTIVIDADES COMPLEMENTARIAS

1. Expresiones

a) ¿Puede traerme la carta, por favor?
b) Aquí tiene. ¿Qué quiere/desea?/*Am* A la orden. ¿Algo de comer, o sólo de beber?
c) Tráigame, por favor, un café (una cerveza).
d) Perdone, pero yo no he pedido esto sino . . .
e) Tráigame otro helado/otra copa de vino.
f) ¿Te/Le molesta que fume?
g) ¿Tiene/s fuego para mí?
h) La cuenta, por favor./¿Cuánto es?
i) Déjame pagar/deja que pague yo/hoy me toca a mí/ni hablar de que tú pagues.

4. Repaso

a) tan buena como; tan bueno como; más pequeño que; tan; más comilona que; más de lo que; tanta comida como; el que más; la más trabajadora de.

Transparencia 6: En el hotel

IV. PREGUNTAS

1. El vestíbulo/lobby de un hotel.
2. a) Acogedor, agradable, elegante, fino, de mucho ambiente, frío, aburrido.
   b) Es un hotel de cinco estrellas.
3. En América Latina, por los letreros en castellano, rostros de los empleados en parte de rasgos mestizos o de color.
4. Recepcionistas, camarero/mesero, botones/maletero.
5. Niños, jóvenes, adultos, parejas, hombres de negocios, turistas nacionales/extranjeros, acomodados/de clase media/de escasos recursos.
6. Sobre el mostrador: teléfono, información turística, libro de huéspedes; en la pared: casillero para las cartas/llaves/mensajes para los huéspedes.
7. a) Lo siento mucho, pero no aceptamos perros/animales; no se permiten perros en el hotel; no puede alojarse aquí con el perro.
   b) Pero mi perro está muy bien educado/es muy obediente/no ladra ni molesta a nadie.
8. a) Parece un hombre de negocios/representante/vendedor.
   b) Normal, chaqueta y corbata de rayas azules.
   c) Paga la cuenta, cambia dinero, vende algo.
9. Joven, simpática, guapa/bonita/linda, interesante/aburrida, trabajadora/laboriosa, bien/mal vestida.
10. Es un típico turista con gafas, la cámara colgada al cuello, está escribiendo su nombre en el libro de registro.
11. Son relativamente jóvenes, parecen que estuvieran de «luna de miel» . . .
12. Tal vez a su mujer.
13. a) Parecen norteamericanos.
    b) Por su fisonomía y por el periódico que compran.

V. ACTIVIDADES COMPLEMENTARIAS

4. Repaso

estuviera; tuviera; pudiera; hubieran; funcionara; hubiera estado.

5. Adivinanza

En la habitación de al lado alguien estaba roncando.

Transparencia 7: En casa

IV. PREGUNTAS

1. a) Son seis personas.
   b) Los padres, los hijos y la abuela.
   Los padres están . . .
2. El sofá está al fondo, a la izquierda, cerca de la puerta de la terraza; hay una vitrina a la izquierda, detrás del sofá . . .
3. El padre ve/mira un partido de fútbol en la televisión, la madre lee un libro; la abuela está tejiendo; hay también un gato que está jugando con la lana delante de la chimenea.
4. Las ollas son para hacer la comida, las sartenes para freír, los cuchillos para cortar, las cucharas de palo para revolver la comida . . .
5. Hay un fogón para cocinar/guisar, un horno para asar carnes y hacer galletas, tartas, bizcochos, una nevera para conservar fríos los alimentos, un lavaplatos . . .
6. Acaba de sacar algo de la nevera, quiere hacerse un sándwich/bocadillo porque tiene hambre.
7. Tres: las dos habitaciones de los hijos y el cuarto de baño.
8. a) Está limpia y ordenada.
   b) Debe de tener unos 15 o 16 años.
   c) A oír música, a leer, a jugar al tenis.
9. a) A la izquierda hay dos camas-litera y una mesita de noche, una estantería, un escritorio . . .
   b) En la cocina.
   c) El que está en la habitación, sentado, leyendo.
   d) Leer, tocar el saxófono/saxofón, escuchar/oír música.
10. Una es de dos chicos, la otra de una chica; la de la chica está muy llena, en la de los chicos parece que hay menos cosas . . .

11. a) Sanitario, lavamanos, bañera, ducha, toallas, una lavadora.
    b) El jabón y la esponja para lavarse; el cepillo de dientes y el dentífrico para lavarse los dientes; la maquinilla para afeitarse . . .

V. ACTIVIDADES COMPLEMENTARIAS

3. Repaso

El divorcio no está aprobado en todos los países.

La mujer sigue estando subrepresentada en la vida pública.

Ana es profesora de inglés.

La igualdad de derechos es hasta hoy una utopía.

Las labores domésticas son todavía sólo tarea de la mujer.

El trabajo de la mujer todavía no está tan bien remunerado como el del hombre.

Transparencia 8: De compras

IV. PREGUNTAS

1. Unos grandes almacenes, de compras, gente haciendo compras en unos grandes almacenes.
2. Ropa para señoras, caballeros y niños, artículos musicales y artículos deportivos.
3. Trajes, chaquetas/sacos, camisas, corbatas, suéteres para hombre . . .
4. a) Se prueba una chaqueta y un pantalón.
   b) No parece ser de su talla: el saco le queda grande, demasiado ancho y largo; las mangas le quedan largas; los pantalones le están estrechos y cortos.
5. Le está tomando las medidas para arreglárselo.
6. Es un chico joven; se está probando uno de los suéteres que hay en la mesa de ofertas.

7. a) Una mujer que está probándose un pantalón se mira en el espejo; la modista le está tomando las medidas a otra mujer para arreglarle el vestido que tiene puesto; a la niña no le gusta el vestido que su madre quiere comprarle; la vendedora trata de hacer cambiar a la niña de opinión.
   b) Que su madre quiere comprarle un vestido aunque ella prefiere los pantalones.
8. Blusas, pantalones, faldas, vestidos, sacos/chaquetas, suéteres para señoras y niños, etc.
9. El de la izquierda lleva ropa tradicional, tiene aire de intelectual y un aspecto tranquilo, está escuchando un disco de música clásica; la chica de las gafas/lentes oscuras va vestida muy a la moda, tiene aspecto de rockera, parece impaciente; el tercero está buscando tranquilamente un disco.
10. Sí, hay una mujer que parece estar pagando algo en la caja.
11. Hay tres: un hombre con un remo en la mano que parece interesarse por el bote; una chica probándose un traje de amazona y unas botas de montar/equitación y un chico probándose unas botas de fútbol.
12. Entrega unos pantalones a una amiga para que se los pruebe.

V. ACTIVIDADES COMPLEMENTARIAS

1. Expresión oral

a) ¿Puedo ayudarle en algo?/*Am* ¿Qué se le ofrece?/¿En qué puedo servirle?
b) No, gracias, sólo estoy viendo/mirando.
c) Sí, por favor, ¿podría mostrarme . . . ?
d) ¿Podría probarme . . . ? ¿Dónde está el vestidor/probador?
e) No me he decidido, no es lo que busco; el color no me va/no me queda bien; voy a pensarlo.
f) Aquí no se aceptan cheques.

2. Definiciones

a) tener en una tienda/un comercio muchas mercancías
b) no tener ya un determinado producto
c) vender mercancías a un precio menor del habitual
d) no estar de acuerdo con algo y manifestarlo abiertamente

4. Ordenar

A: 3, 4, 6
B: 5, 14, 15
C: 9, 10, 13
D: 1, 7, 12
E: 2, 8, 11

5. Diálogo inconcluso

En la zapatería

A ________________
B zapatos
A número
B piel natural
A piel—ante
B allí—cuánto cuestan
A ________________
B probármelos
A probárselos

En la tienda

A cuesta—estatua
B sólo
A dónde
B porcelana—muy buena

Transparencia 9: El tiempo libre

IV. PREGUNTAS

1. a) Tiempo libre; un cámping; de vacaciones; en verano; en la naturaleza . . .
   b) Hace muy buen tiempo.
2. En primer plano; a la izquierda; a la derecha hay . . .
3. Ella está en cuclillas, preparando la comida y él armando la tienda.

4. Colchoneta, saco de dormir; mesas y sillas plegables; batería portátil . . .
5. Practican excursionismo, montañismo, moto-ciclismo, deportes acuáticos, pesca . . .
6. Aire de aventura; vida en la naturaleza; mayor libertad; precios . . .
7. a) Al excursionismo.
   b) No requiere un medio ni un equipo especial; es interesante, variado, sano, económico . . .
8. a) Montañismo; está trepando a/escalando una montaña.
   b) Ropa de sport cómoda; visera; suéter impermeable; botas de montaña; mochila; cuerda; pico . . .
9. a) Camino difícil, malo, pendiente, peligroso para las ruedas que pueden pincharse.
   b) Me gusta/No me gusta porque . . .
10. a) Un jinete a caballo.
    b) No: es demasiado costoso; el cuidado del caballo requiere mucho tiempo.
11. Leyendo, pescando, practicando el ala delta.

Transparencia 10: La información turística

IV. PREGUNTAS

1. Una oficina de información turística de mucho movimiento.
2. En España, por la oferta de excursiones diarias al Escorial.
3. Mapa de la ciudad, sitios de interés turístico, medios de transporte, horarios de autobuses y trenes, hoteles, restaurantes, tiendas, exposiciones, espectáculos.
4. a) Folletos sobre cámping.
   b) Sensación de aventura; vida en la naturaleza, simple y económica; alternativa a la rutina cotidiana.
5. El muchacho pide información sobre el albergue juvenil/de juventud. La empleada le muestra en el mapa dónde está y el camino para llegar allí.

6. a) Leyendo un prospecto sobre el Perú.
   b) No, seguramente con su esposo, un pariente o una amiga; probablemente quiera ir en un tour.
7. Vuelo o viaje en autobús, transporte del aeropuerto al hotel, habitación con cuarto de baño, propinas en el hotel, media pensión, visitas dirigidas de las ciudades.
8. a) No, generalmente viajan solos, por parejas o en grupos pequeños.
   b) Deseo de aventura e independencia; posibilidad de descubrir solos las ciudades y países y encontrar contacto con jóvenes del lugar; mucho más barato.
9. Quizás sea viajante.
   Que le reserve una habitación con ducha.
10. a) Sacando billetes para una excursión al Escorial.
    b) Más cómodo, autocar refrigerado en verano, todos van sentados, hay una visita dirigida, el almuerzo a veces está incluido.
    c) Porque allí hay un monasterio muy impresionante hecho construir por Felipe II en el siglo XVI.
11. Salamanca: ciudad española con una universidad muy antigua y famosa, monumentos de gran interés histórico y artístico; Acapulco: famoso balneario mexicano, situado en la costa del Pacífico; Quito: capital de Ecuador, país andino, a orillas del Pacífico, de grandes bellezas naturales y tesoros artísticos coloniales, bella artesanía indígena; Granada: maravillosa ciudad española famosa especialmente por la Alhambra, el barrio del Albaicín y otras construcciones árabes.

V. ACTIVIDADES COMPLEMENTARIAS

2. Refranes y modismos

— adaptarse a las costumbres del sitio donde estés

— preguntando se pueden solucionar todos los problemas

— la solución dada a un problema ha resultado peor que el problema mismo.

5. Repaso

irán; pasará; hará, recorrerá; nos quedaremos, tendremos, mostraremos; harás; trataré, pasaré.

Transparencia 11: En la estación de servicio

IV. PREGUNTAS

1. Está limpiando el parabrisas de un coche.
2. a) Está revisando el aire de las ruedas.
   b) No, también necesita gasolina.
3. a) Un chico echándole gasolina a su vespa.
   b) Tiene puesto un casco para protegerse mejor en caso de accidente.
4. a) A una cajera metiendo/sacando dinero de la caja, y algunos estantes con diferentes objetos que se venden aquí: revistas, periódicos, dulces, chocolates, artículos para coches, etc.
   b) Seguramente la mujer del propietario.
   c) Las estaciones de servicio frecuentemente son pequeñas empresas familiares en las que el hombre se ocupa de los trabajos de mecánica y la mujer de los de oficina.
5. La estación tiene también un taller/garaje para la reparación de coches y una planta de lavado y engrase.
6. a) Sí, porque los conductores ponen ellos mismos gasolina.
   b) Cuatro.
7. a) Seguramente es el mecánico que está reparando un coche a la izquierda.
   b) Está de pie, arreglando algo en el coche que está sobre un elevador.
   c) Una caja de herramientas, una llave inglesa, un destornillador, unos alicates, un martillo . . .
8. a) Una grúa descargando un coche que acaba de remolcar.
   b) Seguramente ha tenido un accidente o se le ha fundido el motor y no puede andar.
9. En la lámina se ven surtidores/bombas de gasolina súper, normal sin plomo, y para motos; faltan las bombas para diesel y súper sin plomo, pero puede que estén en otro lugar.

V. ACTIVIDADES COMPLEMENTARIAS

1. Sistematizar

1. a) Echar gasolina, controlar el aire de las llantas/ruedas e inflarlas, lavar y engrasar el coche, cambiar el aceite/las bujías/las llantas/ruedas, controlar y cargar la batería, pequeñas reparaciones en general.

b) Aceite, piezas de recambio/repuestos, periódicos y revistas, dulces, chocolates y bebidas, mapas y guías turísticas.

c) Un neumático/una rueda de recambio y un gato para poder hacer un cambio de neumático/rueda en cualquier momento; un triángulo para prevenir a otros conductores de que hay un coche estacionado en la vía; una caja de herramientas para hacer pequeñas reparaciones, un botiquín para poder prestar primeros auxilios, una linterna para . . .

d) Por motivos de seguridad: con llantas desgastadas se corre el peligro de que el coche patine/*Esp* derrape.

e) Comprar un coche de motor económico, hacer graduar bien el encendido del motor y el carburador, no conducir tan rápido, ir a pie o en bicicleta lo más frecuentemente posible, lo que, a propósito, es además muy sano.

2. Repaso *(Sugerencias)*

1. Ten cuidado al frenar / para que / no se te apague el coche.
2. No arranques / antes de que / el profesor te lo diga.
3. No te comportes / como si / estuvieras nerviosa.
4. No te pongas nerviosa / en caso de que / el profesor te critique.
5. Detente / en cuanto / el semáforo se ponga amarillo.
6. Conserva la calma / aunque / tengas que esperar.
7. Da las gracias / cuando / termine(s) el examen.
8. Llámame / tan pronto como / estés lista.

Transparencia 12: En la playa

IV. PREGUNTAS

1. En verano porque es una escena de playa; hay mucha gente tomando el sol y practicando deportes típicos de esta estación.
2. a) Lleva un traje de baño/bañador amarillo, está sentada en una silla plegable haciendo punto/tejiendo.

   b) Parece que está sola.

3. Es un heladero que recorre la playa vendiendo helados y refrescos.
4. Está tendida en una toalla leyendo una revista y escuchando música; lleva un sombrero de ala grande.
5. Lleva una red, un tubo y unas gafas de buceo.
6. Está jugando a la pelota con el chico del flotador, que seguramente es su hijo.
7. a) Es el socorrista/salvavidas; tiene en la mano unos binoculares/prismáticos para observar a los bañistas.
8. a) La natación, el esquí acuático, la vela, el surf, la pesca.
   b) Significa «socorro».
9. A la derecha hay un quiosco/chiringuito donde se venden salchichas, bocadillos/sandwiches, refrescos, etc.; en la barra se ve a un chico bebiendo algo y, a su izquierda, un puesto de pescados, mariscos y frutas; en los altos—parece que del mismo edificio—hay un restaurante con una terraza donde hay un cliente sentado al sol: a la izquierda del restaurante, en el embarcadero, hay un pescador arreglando las redes y una barca pesquera que está atracando; al fondo se ven un faro, un buque y nubes y gaviotas.

V. ACTIVIDADES COMPLEMENTARIAS

1. Expresión oral

1. a) La gente activa: nadar, bucear, jugar a la pelota, ir en bote de vela/remo/motor, hacer surf/esquí acuático, pescar, andar por la playa . . . La gente pasiva: estar tendida al sol, escuchar la radio, leer, hacer punto/tejer, conversar con otras personas . . .
   b) El resultado del movimiento de ascenso y descenso del mar, por efecto de las acciones combinadas del sol y de la luna: marea alta o pleamar y marea baja o bajamar.
   c) Verde/*Arg, Chile* azul: no hay peligro; roja: peligro; amarilla/*Arg, Chile* azul y roja: precaución.
   d) El límite de seguridad para los nadadores; más allá frecuentemente hay tiburones.
   e) **Generales:** Insolación, deshidratación, quemaduras; **practicando el surf o nadando:** peligro de ahogarse, de ser atropellado por una tabla o un bote, de ser mordido por un cangrejo o atacado por un tiburón, de lastimarse o herirse en las rocas.

5. Modismos

— el más fuerte se impone
— aburrirse mucho
— complicarse la vida por pequeñeces
— realizar un trabajo con gran esfuerzo

Transparencia 13: En el mercado

IV. PREGUNTAS

1. Una calle, una frutería, la feria, el mercado
2. Verdura, fruta, comida, artesanías, helados, ropa, dulces, adornos, flores y plantas
3. Frente a la iglesia, seguramente la plaza principal de la ciudad
4. Los habitantes de la ciudad, los turistas
5. Quiere comprar una estatua, pregunta el precio, regatea, quiere una rebaja.
6. Es un turista bajo, delgado, calvo, de gafas; está mirando las artesanías que vende el hombre.
7. El heladero está vendiéndole un helado a una niña.
8. a) El puesto de la carne está al fondo, a la izquierda; allí hay costillas de cerdo, perniles de cerdo . . .
   b) Hay algunos animales vivos: pavos, patos, pollos.
10. Se trata de un puesto de ropa.
11. Diferentes vasijas de barro y cacerolas de aluminio.
12. Viste un sombrero andino, saco/chompa de lana y lleva alrededor de los hombros una manta en la que tiene envuelto al niño/bebé.

V. ACTIVIDADES COMPLEMENTARIAS

1. Mercados y ferias

(1) Además, (2) mayoría, (3) menudo, (4) localidad, (5) asisten, (6) frecuentemente, (7) intercambiar, (8) objetos, (9) medicinales, (10) contra,

(11) ofrenda, (12) obras, (13) variadas, (14) reviste, (15) brinda, (16) volver, (17) residentes, (18) puestos, (19) pacientemente, (20) cliente, (21) puesto que, (22) ganar, (23) aunque, (24) sigue siendo, (25) raro

4. Repaso

a) por la que; b) en la que; c) los que; d) con/en la que; e) los que/quienes; f) a la que/a quien; g) por la que

Transparencia 14: En Correos y Teléfonos

IV. PREGUNTAS

1. Quiere comprar sellos para poder enviar una carta.
2. Le ha llegado el giro que esperaba.
3. a) Está mandando/enviando un telegrama.
   b) Porque hay que pagar cada palabra.
4. Tal vez haya recibido un regalo.
5. a) La carta que esperaba ansiosamente aún no ha llegado.
   b) Quizás de su novia.
6. Buscando un número en la guía/el listín de teléfonos.
7. El aparato no funciona; está estropeado y se le ha tragado el dinero.
8. Sí. Está llamando una señorita/señora joven. Parece que está contenta.

V. ACTIVIDADES COMPLEMENTARIAS

1. Expresiones

a) — ¿Podría darme sellos especiales, por favor?
   — Quisiera enviarla/mandarla certificada.
   — ¿Ha llegado una carta para . . . , por favor?

b) — Muy señores míos . . . Atentamente.
   — Estimado(a)/Distinguido(a) Sr. (Sra.) . . . , Cordialmente/Con un saludo cordial.
   — Querido/a, un abrazo/cariñosamente/un saludo cariñoso.

4. Repaso

en, en; en, de; por, por; por, por; a; dentro de; a/para; por; a, por; a, de.

Transparencia 15: En una finca

IV. PREGUNTAS

1. Caballo, vaca, oveja, pavo/guajolote, conejo, gallina, pollo, perro, gato.
2. La familia entera, adultos y niños y los peones.
3. Pala, hoz, carretilla, rastrillo.
4. a) Un hombre recoge la cosecha con una cosechadora, a la izquierda hay ovejas en un corral, delante de éstas, en un sembrado, un espantapájaros.
   b) Para espantar/ahuyentar a los pájaros; si no, se comen parte de la cosecha.
5. El caballo y la vaca en el establo, los conejos en las jaulas, la gallina en el gallinero, las ovejas en el corral, el perro junto a la perrera, el gato sobre el tejado, los demás animales andan sueltos por la granja.
6. Está ordeñando a la vaca.
7. Lleva pantalones de tirantes y zapatos de campo.
8. a) Hay tres conejos en la jaula, un niño les da de comer, les da zanahorias y juega con ellos.
   b) Porque es un buen negocio: los conejos se reproducen rápido, no requieren mucho cuidado y se venden bien.
9. Lleva en un/a cesto/a los huevos que acaba de recoger en el gallinero.
10. La segadora para segar/cortar la hierba, el tractor para arrastrar otras máquinas.
11. a) Seguramente por la mañana temprano.
    b) Las vacas se ordeñan por la mañana temprano y al atardecer; las gallinas ponen huevos también temprano o por la tarde; en el campo se trabaja generalmente por la mañana.
12. Pequeña, modesta, antigua, de un pequeño propietario, para el autoabastecimiento.

V. ACTIVIDADES COMPLEMENTARIAS

2. Reconstrucción de un cuento

Érase una vez un rey de un país muy lejano a quien le gustaban mucho las cerezas, tanto que no podían faltar en ninguna de sus comidas.

Un día, al sentarse a la mesa, vio que faltaba su fruta predilecta. Lo mismo sucedió al día siguiente y al tercer día. Para que esto no volviera a pasar, el rey ordenó que todos los agricultores sembrasen cerezos en todos los campos apropiados de su reino.

La orden fue cumplida y pronto empezaron a brotar por todas partes cerezos que se llenaron de flores y frutos. Pero la alegría que esto produjo al rey no fue de larga duración. Los pájaros de los países vecinos se enteraron de que en ese reino había tantas cerezas y cayeron como nubes de langostas sobre ellas. Otra vez faltaron las cerezas.

Enfurecido, el rey ordenó entonces que se exterminase a todos los pájaros del país. El cumplimiento de esta orden tuvo unas consecuencias terribles: pronto comenzaron a surgir legiones de gusanos e insectos que arrasaron todos los campos del país. La gente padecía hambre porque no había cereales, ni legumbres, ni patatas, ni hortalizas, y el ganado se moría por falta de forraje.

El rey, más enfurecido que antes, pidió consejo a los sabios del reino. Estos le dijeron que sólo los pájaros podrían exterminar a los gusanos e insectos.

El rey, avergonzado de la falta que había cometido, hizo traer pájaros de otros países. Los pájaros declararon la guerra a los gusanos e insectos, y pronto los campos volvieron a cubrirse de verdura y los cerezos de frutos rojos.

En el futuro el rey se contentó con las cerezas que los pájaros le dejaban en las ramas, y su pueblo volvió a tener pan, legumbres y hortalizas que comer.

4. Modismos

a) mucha hambre

b) quien mucho habla poco obra

c) engañar a alguien

d) no pongas reparos a regalos que te den

e) ninguna ayuda es despreciable

5. Formar familias de palabras

— agricultor, agricultura, agronomía, agrología, agropecuario
— campiña, campestre, campesino, acampar, campechano
— granero, desgranar, granívoro, graneado, granja, granjero
— vegetar, vegetación, vegetariano, vegetativo
— sembrado, sembrador/a, sembradía, siembra
— herbario, herbolario, herbicida, herbívoro, desherbar
— carnicero, carnicería, carnívoro, carnoso, carnal
— lechero/a, lechería, lechoso, lechal, lechón/lechona

Transparencia 16: Las culturas latinoamericanas

IV. PREGUNTAS

1. Son relieves precolombinos que permiten suponer que se trata de la base de una pirámide indígena.
2. Es una iglesia colonial hispanoamericana. Se trata de la iglesia de Santiago de Tlatelolco, la primera construida por los españoles en México, en el siglo XVI.
3. Un negro haitiano, una india con sus hijos, un turista norteamericano . . .
4. A que allí están representadas las «tres culturas» mexicanas: el zócalo de la pirámide constituye un resto de la civilización azteca, la iglesia es un símbolo de la colonización española y los edificios modernos representan el México de hoy.
5. América Latina . . .